KUMON

やさしいひらがな②集

できたね！シール（しーる）

1まい　おわったら、すきな　シールを　「できたね！シート」に　1まいずつ　はりましょう。
がくしゅうした　ページに　はっても　よいでしょう。
ぜんぶ　おわったら、おおきな　シールを　ひょうしょうじょうに　はりましょう。（シールは　あまります）

「あ」行の　れんしゅう

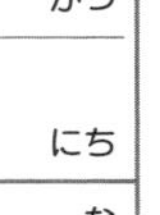

がつ　にち　なまえ

おうちのかたへ

1枚ずつはがして、お子さまに渡してください。おもて面では、1画ずつ順に書き入れて、書き順を確認しましょう。うら面では、1文字ずつくり返し書いて、字形を確認します。自力で書くところは、難しく感じるかもしれません。最初のうちは、おうちのかたが手をそえていっしょに書いたり、一部うすく線を引いてなぞらせたりしてもかまいません。形が整っていなくても、1文字ごとにほめてあげましょう。

すうじの　じゅんに「あ」「い」「う」「え」「お」を　かきましょう。
（●は　かきはじめる　しるしです。★は　とめる　しるしです。）

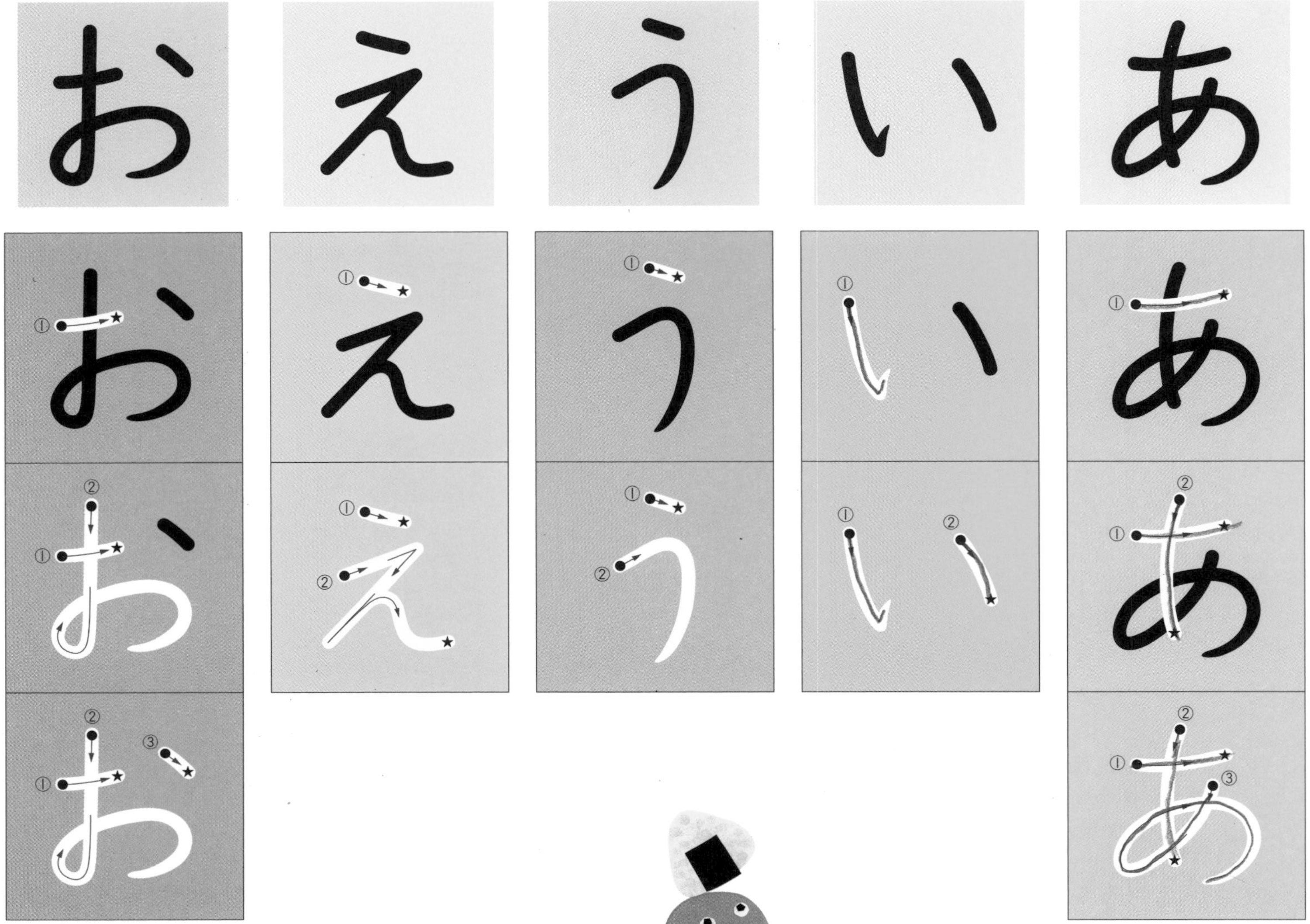

あ　い　う　え　お

こえに　だして　よみながら、「あ」「い」「う」「え」「お」を　かきましょう。

あ　い　う　え　お

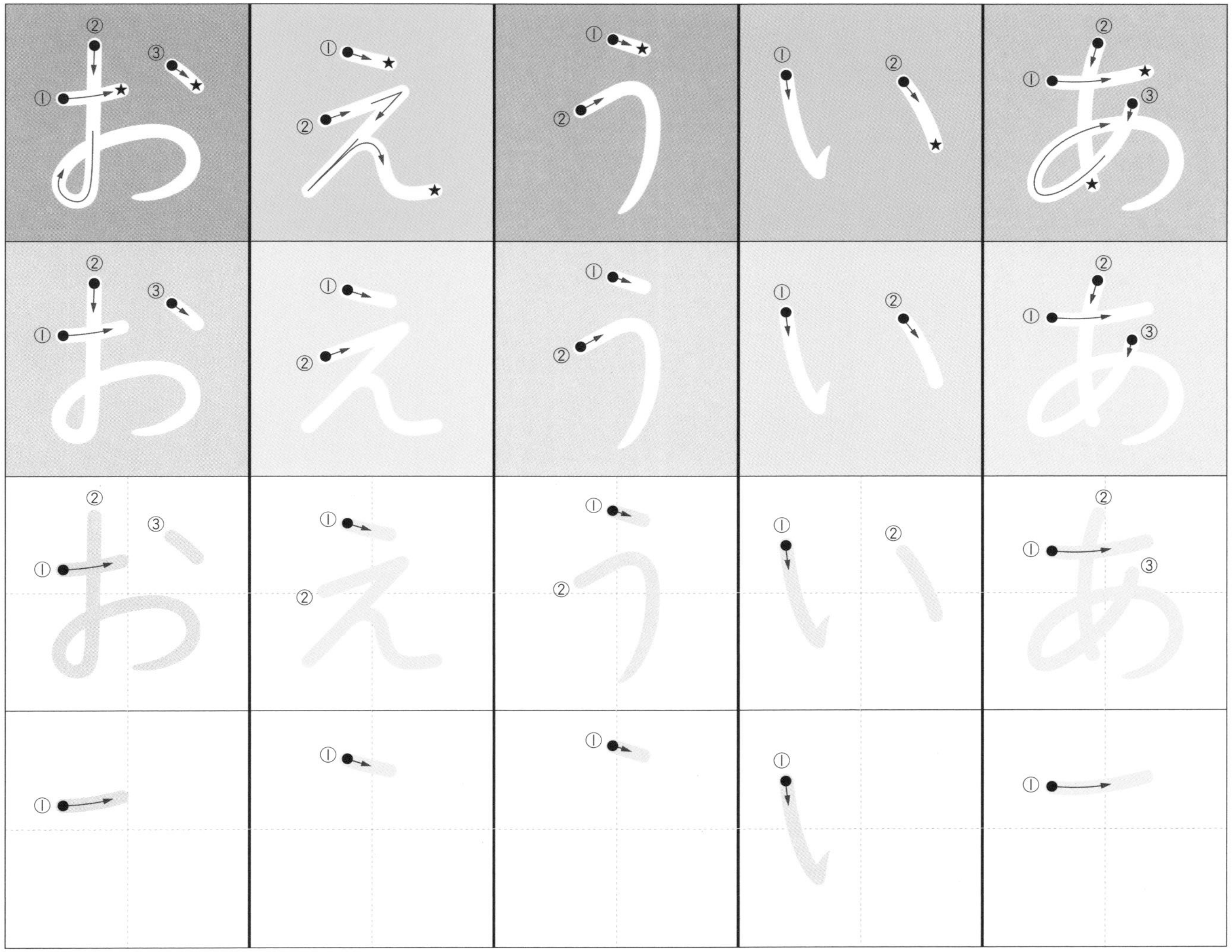

おてほんを　みながら　ひとりで　かいて　みましょう。

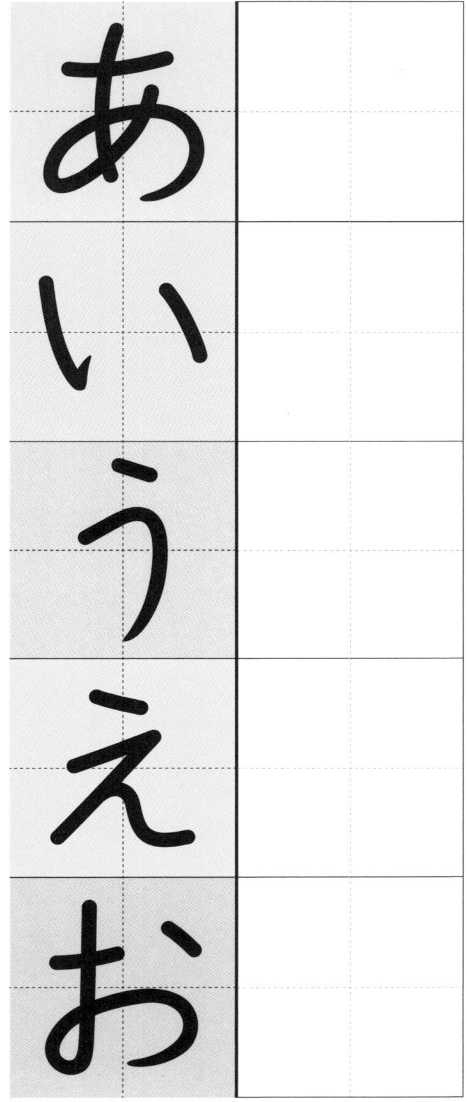

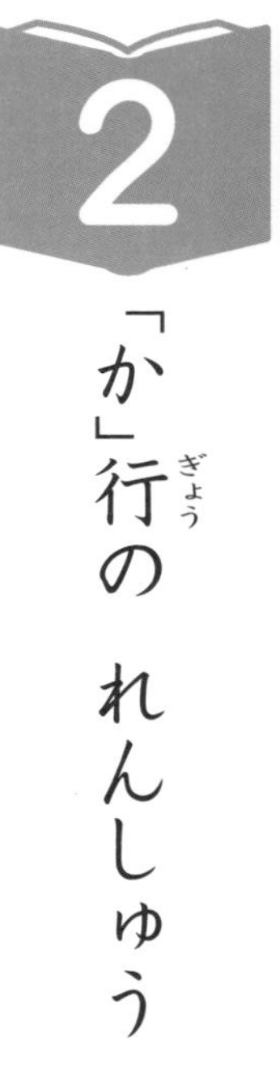

2 「か」行(ぎょう)の れんしゅう

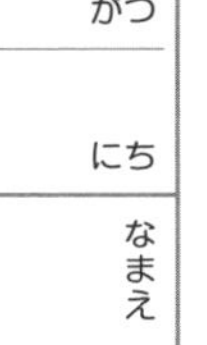

がつ　にち　なまえ

おうちのかたへ
本書の前半では、手書きの文字をもとに、なぞりやすく形を整えたひらがなをもちいて、なぞる練習をしていきます。●からなぞって★で止めますが、はねやはらいのところには、★をつけていません。最初のうちは、うまくはねやはらいが書けなくてもかまいません。まずは、ひらがなの基本的な形を覚えましょう。

すうじの じゅんに 「か」「き」「く」「け」「こ」を かきましょう。
（•は かきはじめる しるしです。★は とめる しるしです。）

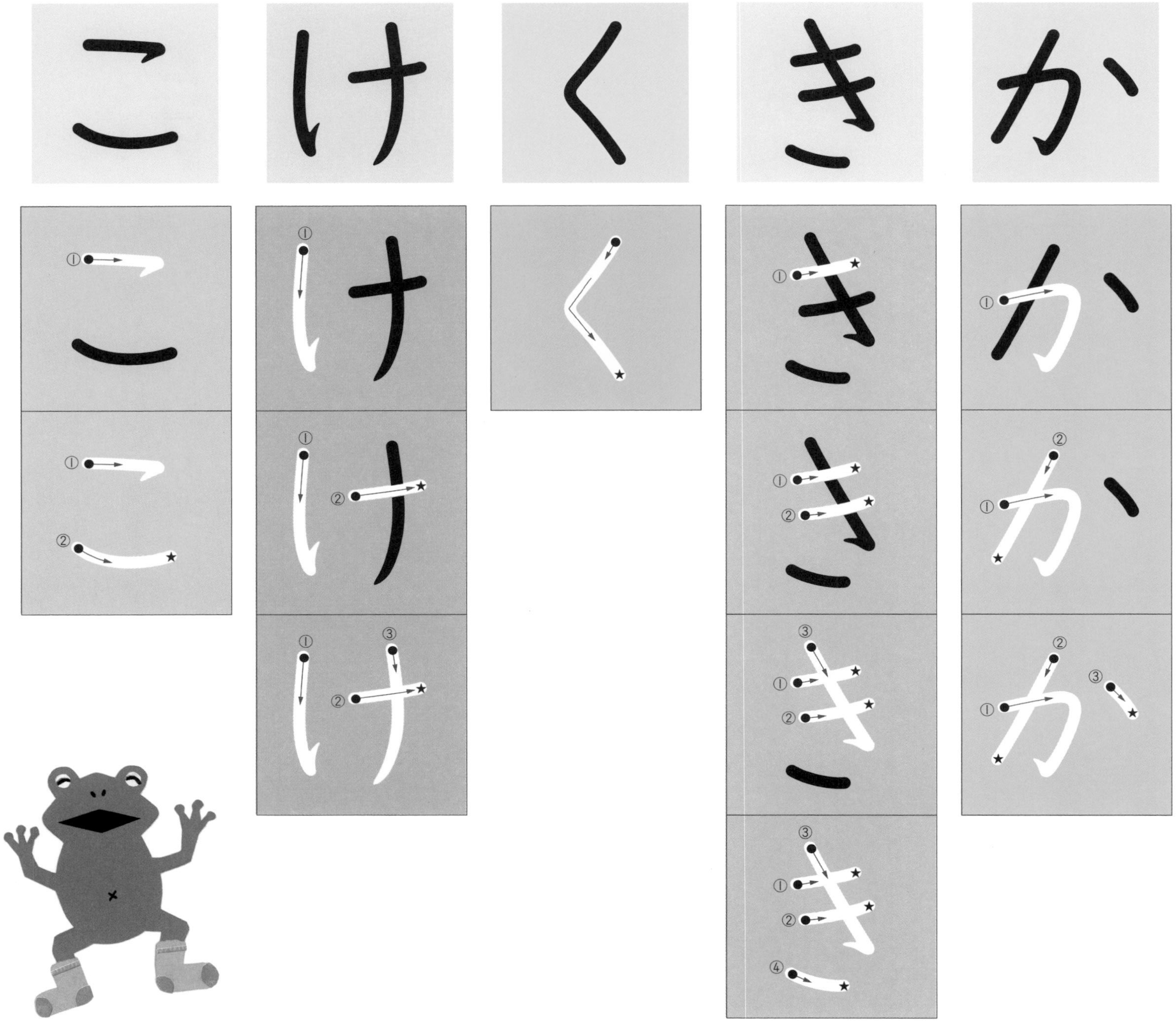

か　き　く　け　こ

こえに だして よみながら、「か」「き」「く」「け」「こ」を かきましょう。

か き く け こ

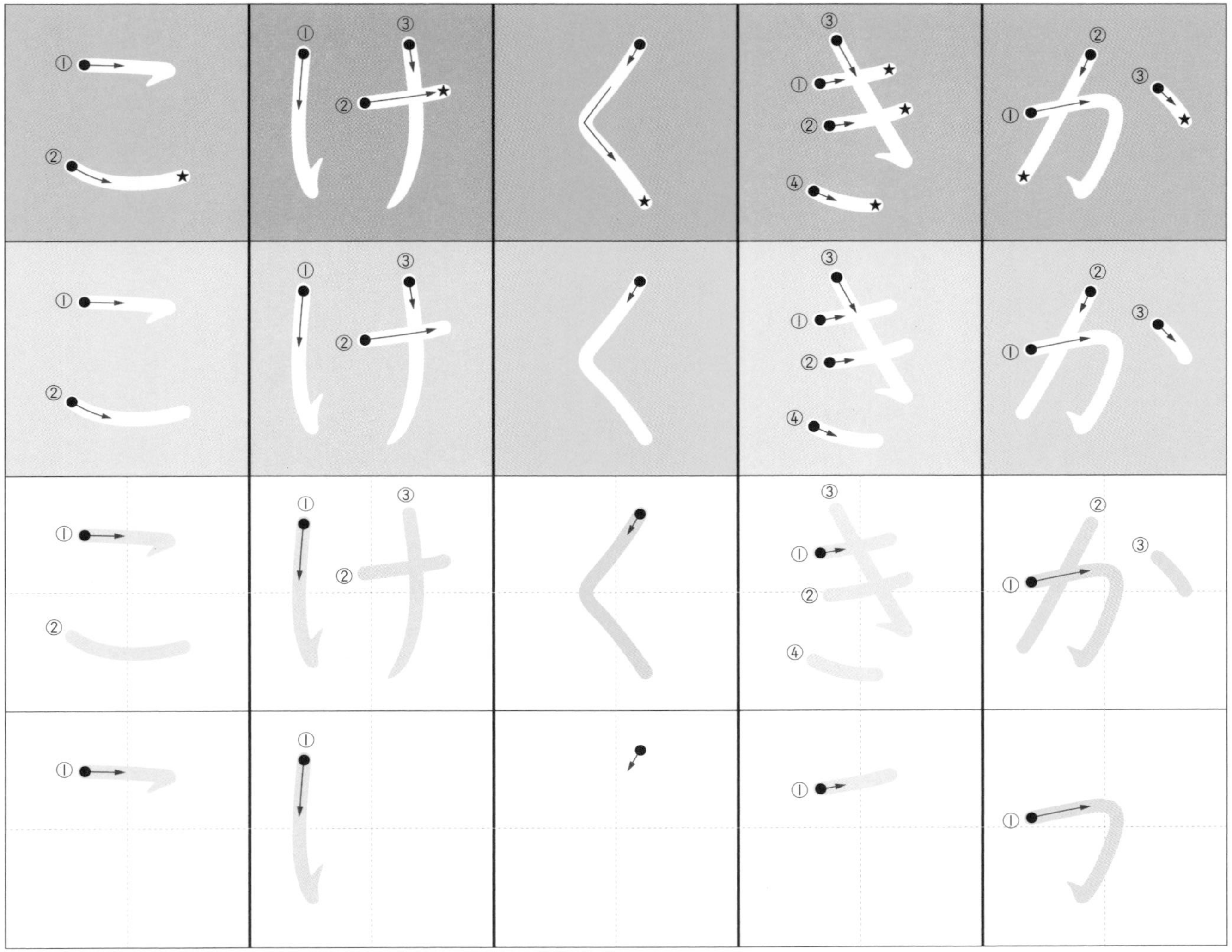

おてほんを みながら ひとりで かいて みましょう。

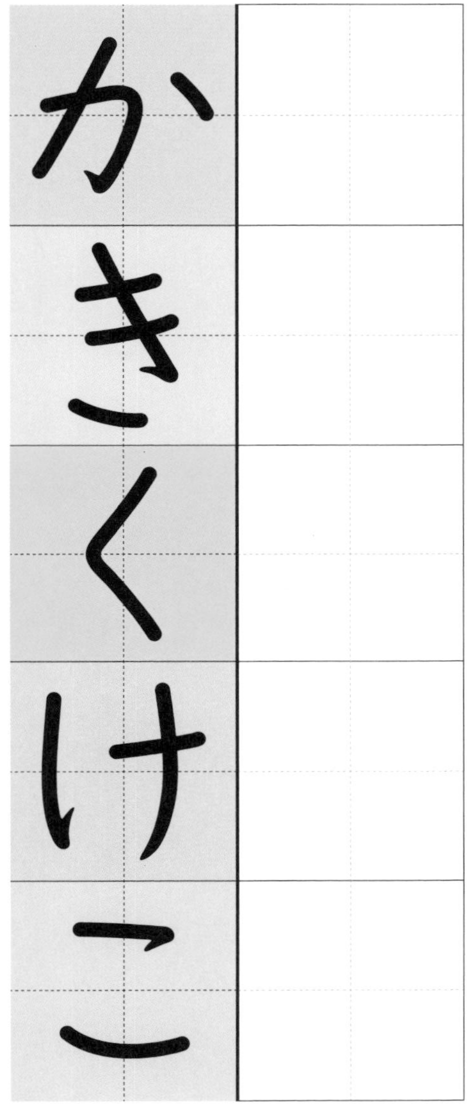

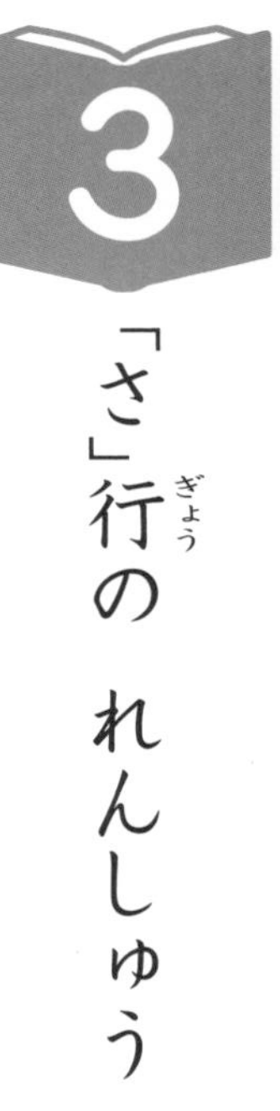

3 「さ」行（ぎょう）の れんしゅう

おうちのかたへ

濁音・半濁音もふくめたすべてのひらがなの読み書きを学習するため、本書の前半ではあいうえお順にひらがなを練習していきます。うら面は、「さ、さ、さ」と元気よく読みながら、なぞれるとよいでしょう。読みながらなぞるのが難しければ、書きおわってから、「さ、し、す、せ、そ」とリズムよく読みましょう。

すうじの じゅんに 「さ」「し」「す」「せ」「そ」を かきましょう。
（●は かきはじめる しるしです。★は とめる しるしです。）

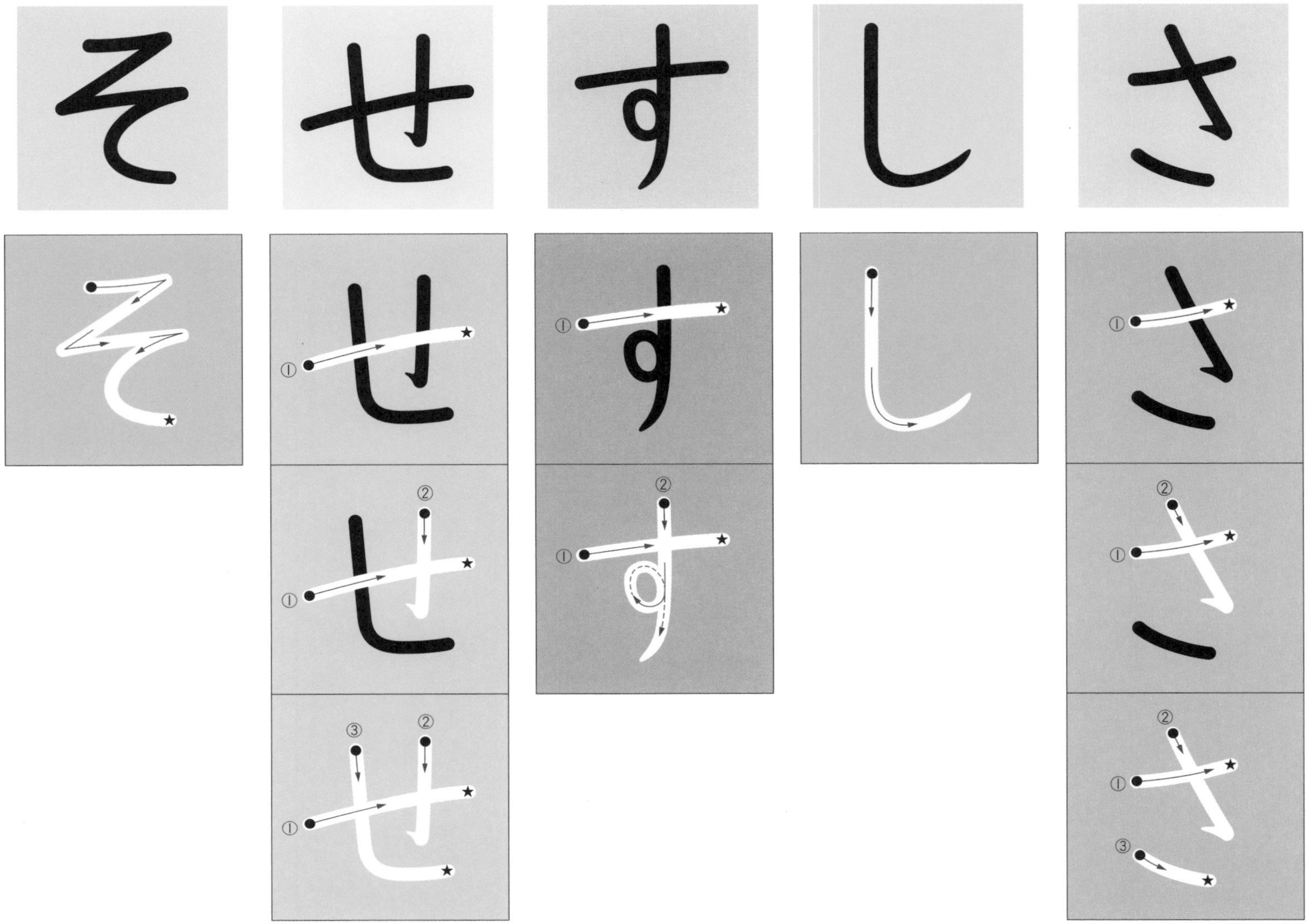

さ　し　す　せ　そ

こえに だして よみながら、「さ」「し」「す」「せ」「そ」を かきましょう。

さ し す せ そ

おてほんを みながら ひとりで かいて みましょう。

さ
し
す
せ
そ

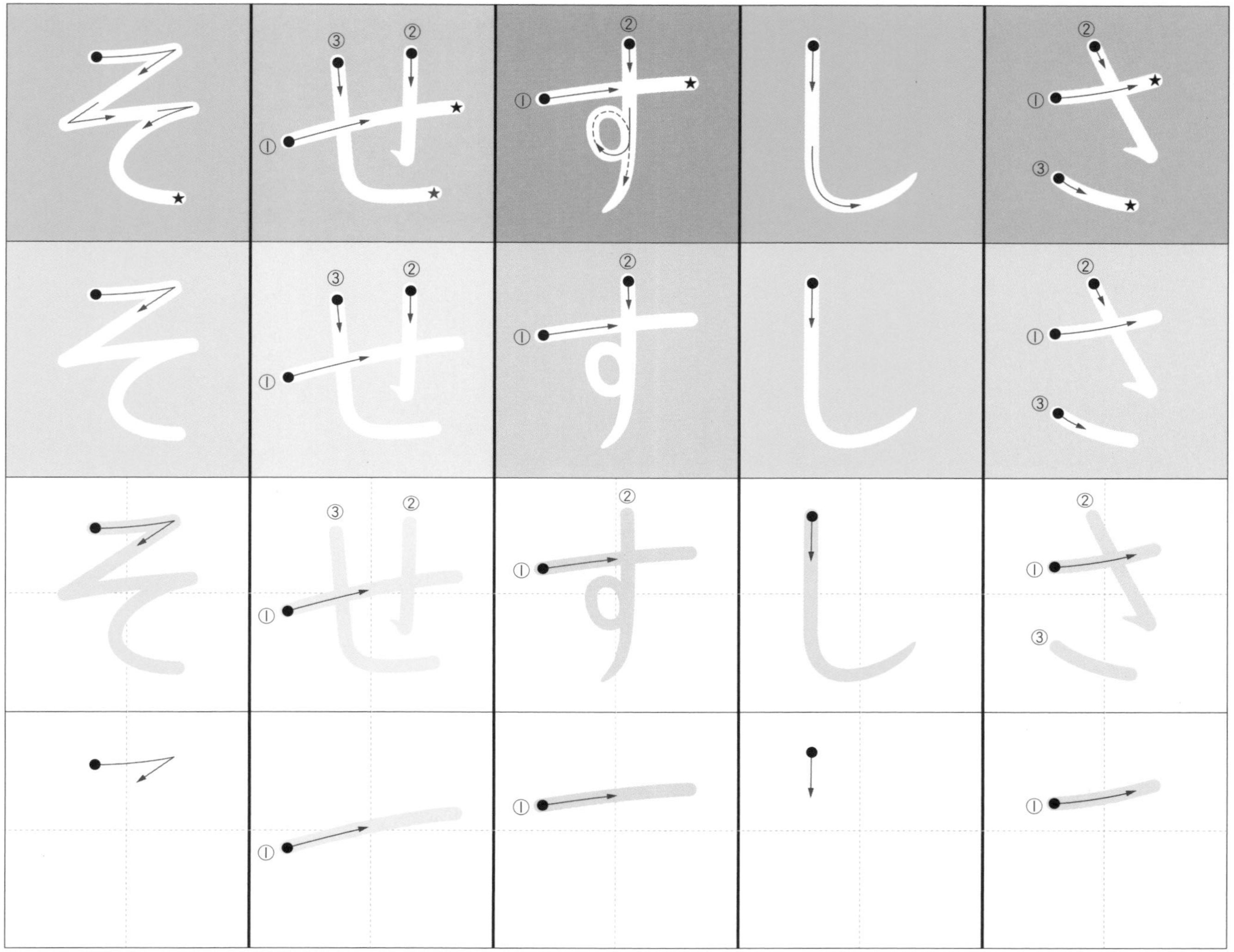

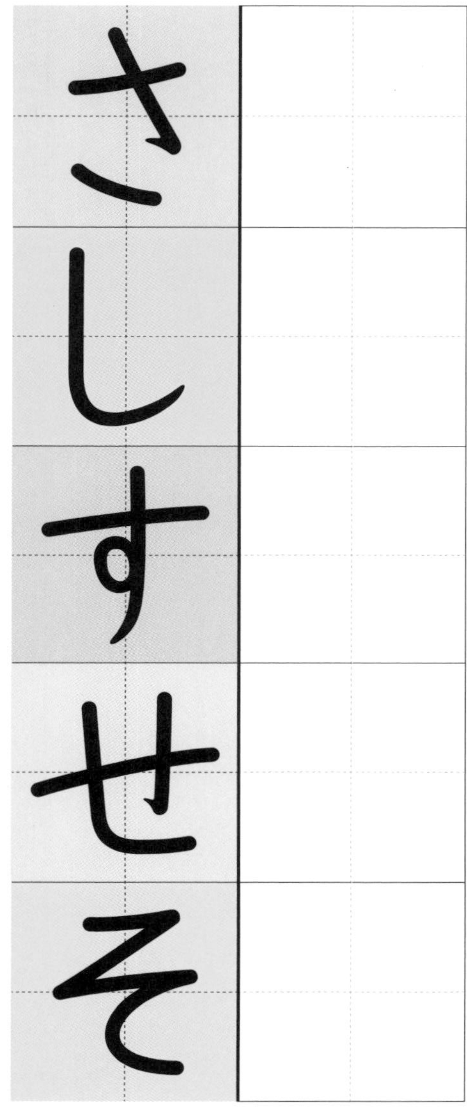

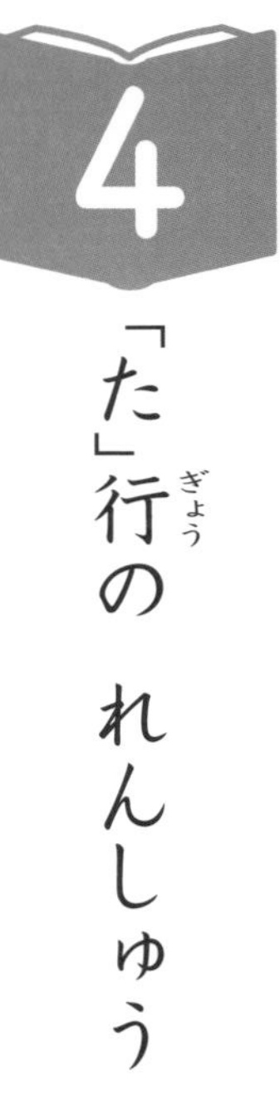

4 「た」行の　れんしゅう

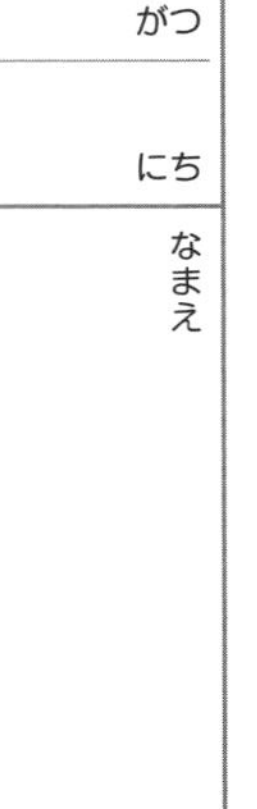

がつ　にち　なまえ

おうちのかたへ

なぞる文字が小さく、線も細くなっていますので、はみ出さずになぞるのは、お子さまにとって難しいことです。本書全体を通じて、ひらがなをなぞったり、書いたりする練習をくり返していきますので、じょじょにきれいになぞれるようになっていけばよいでしょう。「ゆっくり、ていねいに書こうね」と声をかけてあげましょう。

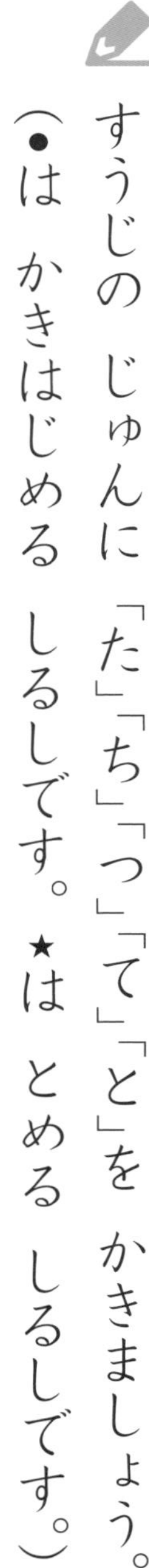

すうじの　じゅんに　「た」「ち」「つ」「て」「と」を　かきましょう。
（●は　かきはじめる　しるしです。★は　とめる　しるしです。）

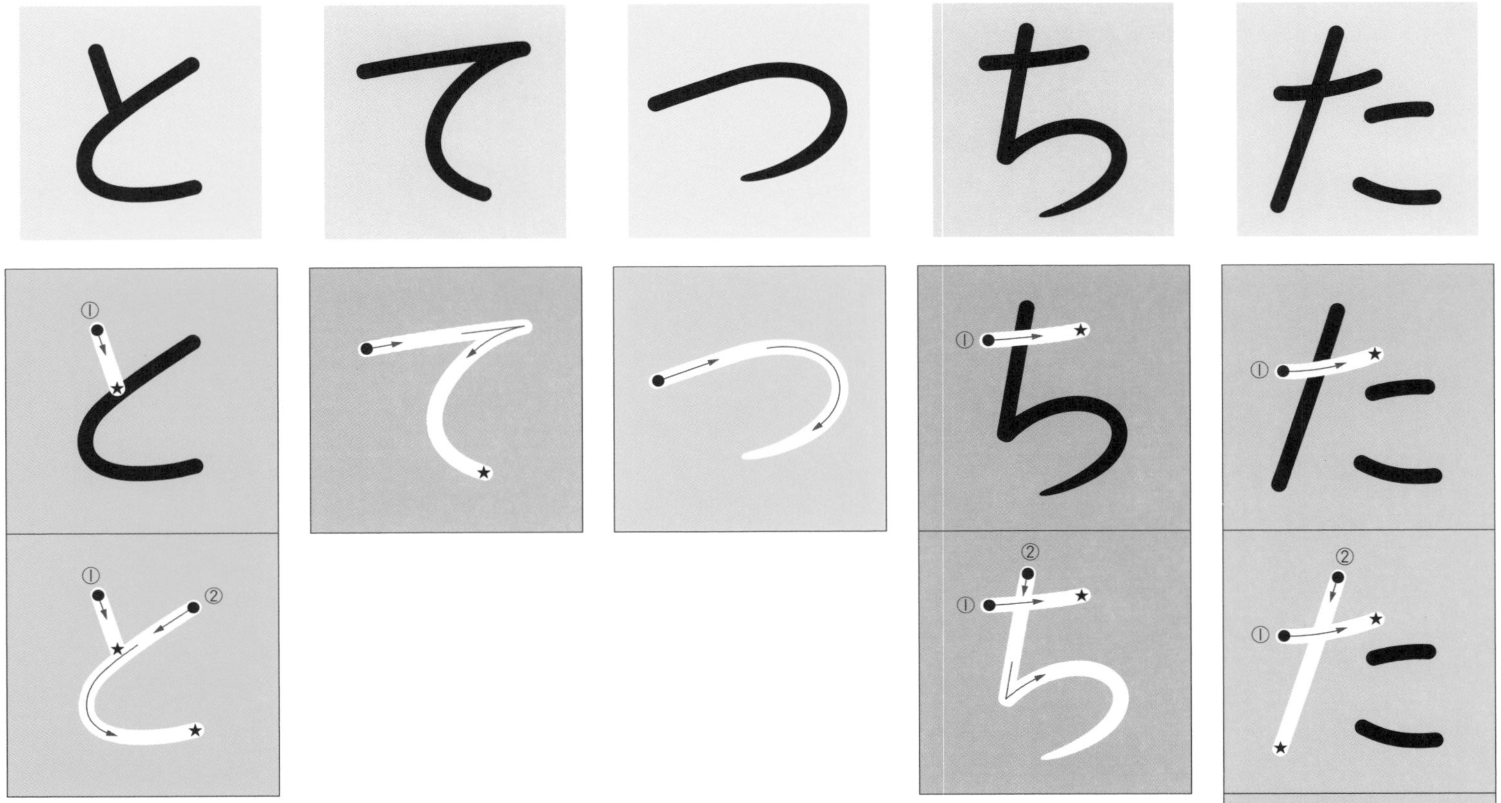

た　ち　つ　て　と

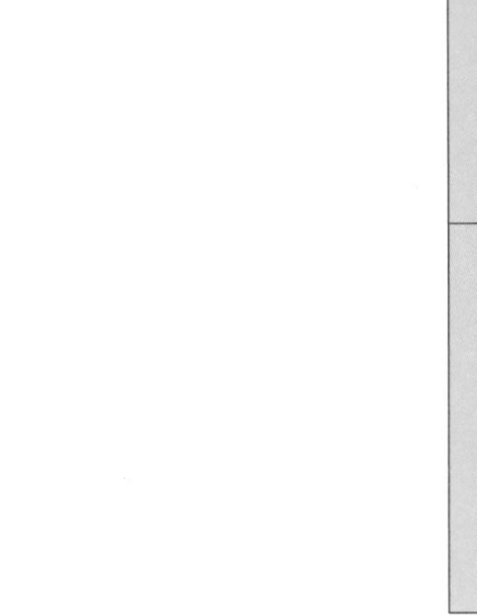

こえに だして よみながら、「た」「ち」「つ」「て」「と」を かきましょう。

たちつてと

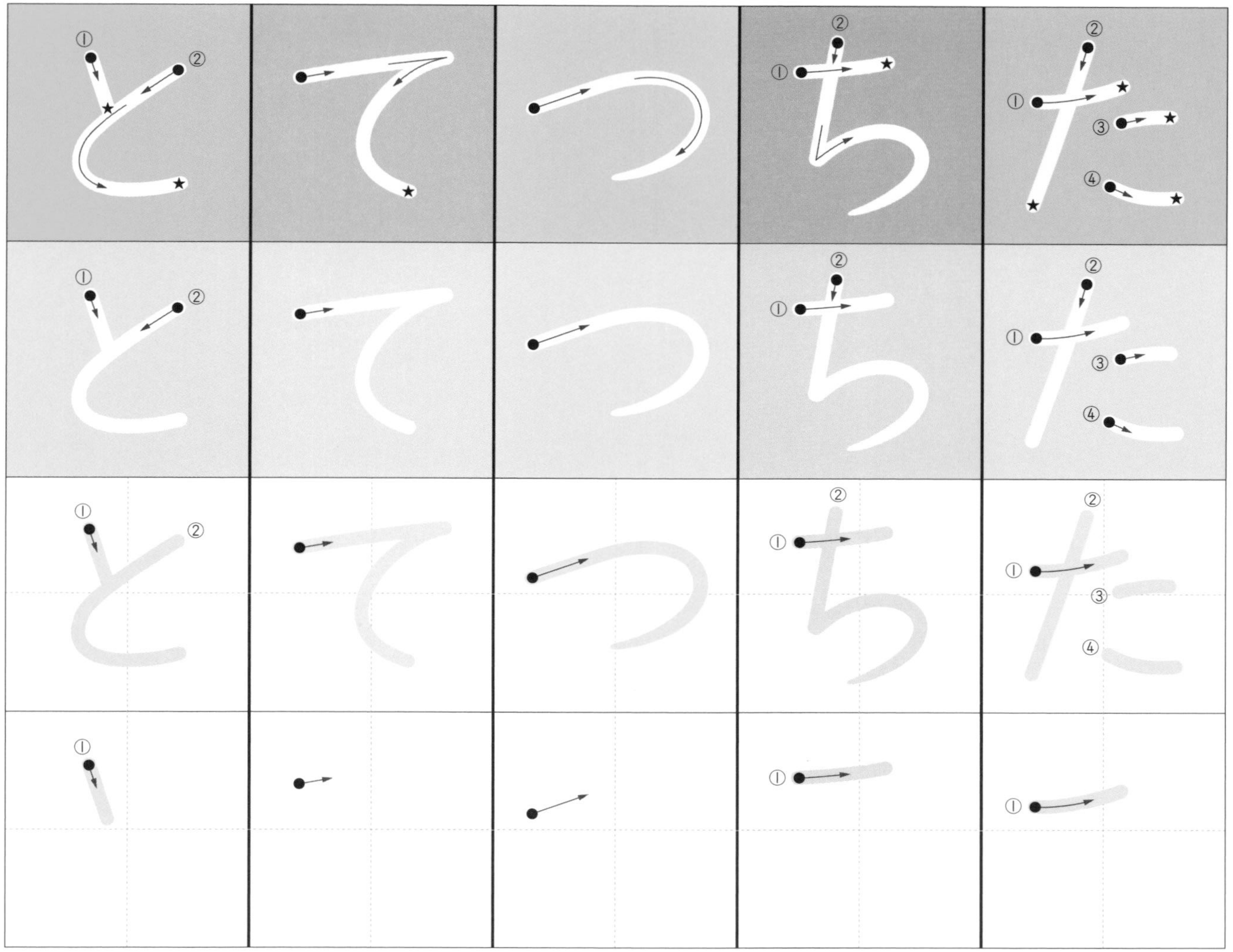

おてほんを みながら ひとりで かいて みましょう。

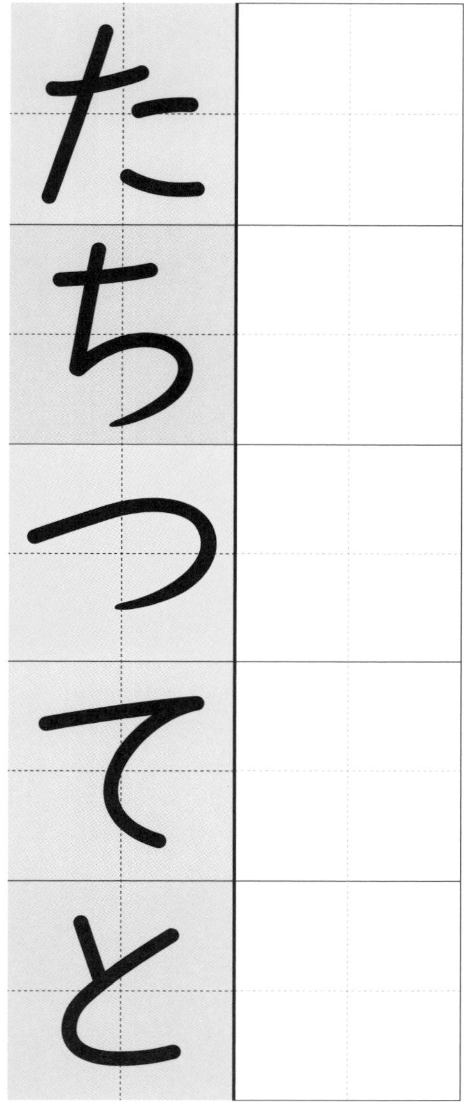

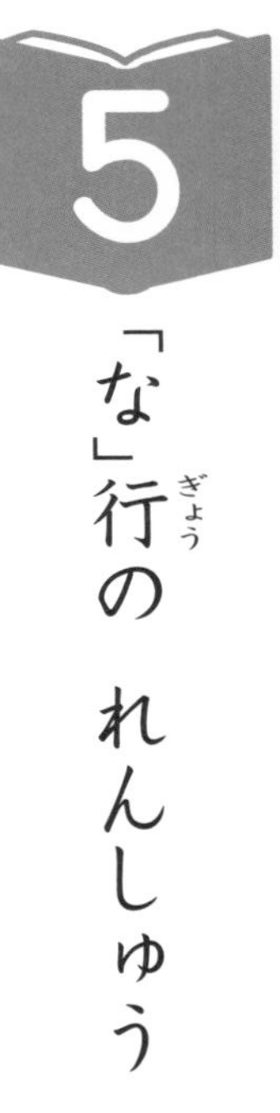

5 「な」行の れんしゅう

がつ　にち　なまえ

おうちのかたへ
「な」や「ぬ」や「ね」は、鉛筆を細かく動かす必要があり、お子さまにとって書くことが難しいひらがなです。うら面の、自力で書くところでは、まだうまく形を整えられなくてもかまいません。1文字ごとに「ひとりで書けたね、すごいね」とほめてあげましょう。「自力でひらがなが書けた」という喜びを、次の学習につなげることが大切です。

すうじの じゅんに 「な」「に」「ぬ」「ね」「の」を かきましょう。
（●は かきはじめる しるしです。★は とめる しるしです。）

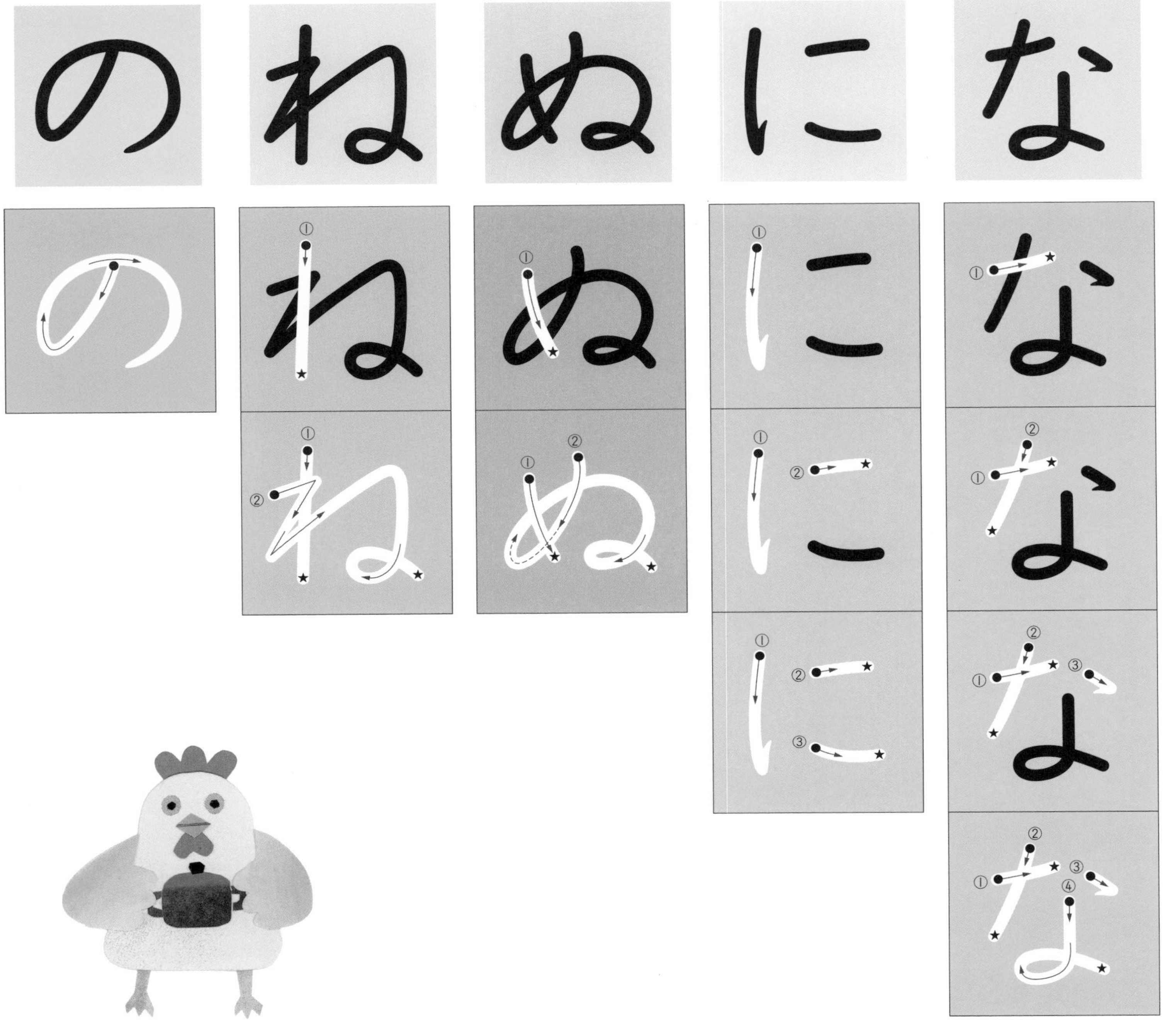

な　に　ぬ　ね　の

こえに だして よみながら、「な」「に」「ぬ」「ね」「の」を かきましょう。

な に ぬ ね の

おてほんを みながら ひとりで かいて みましょう。

な に ぬ ね の

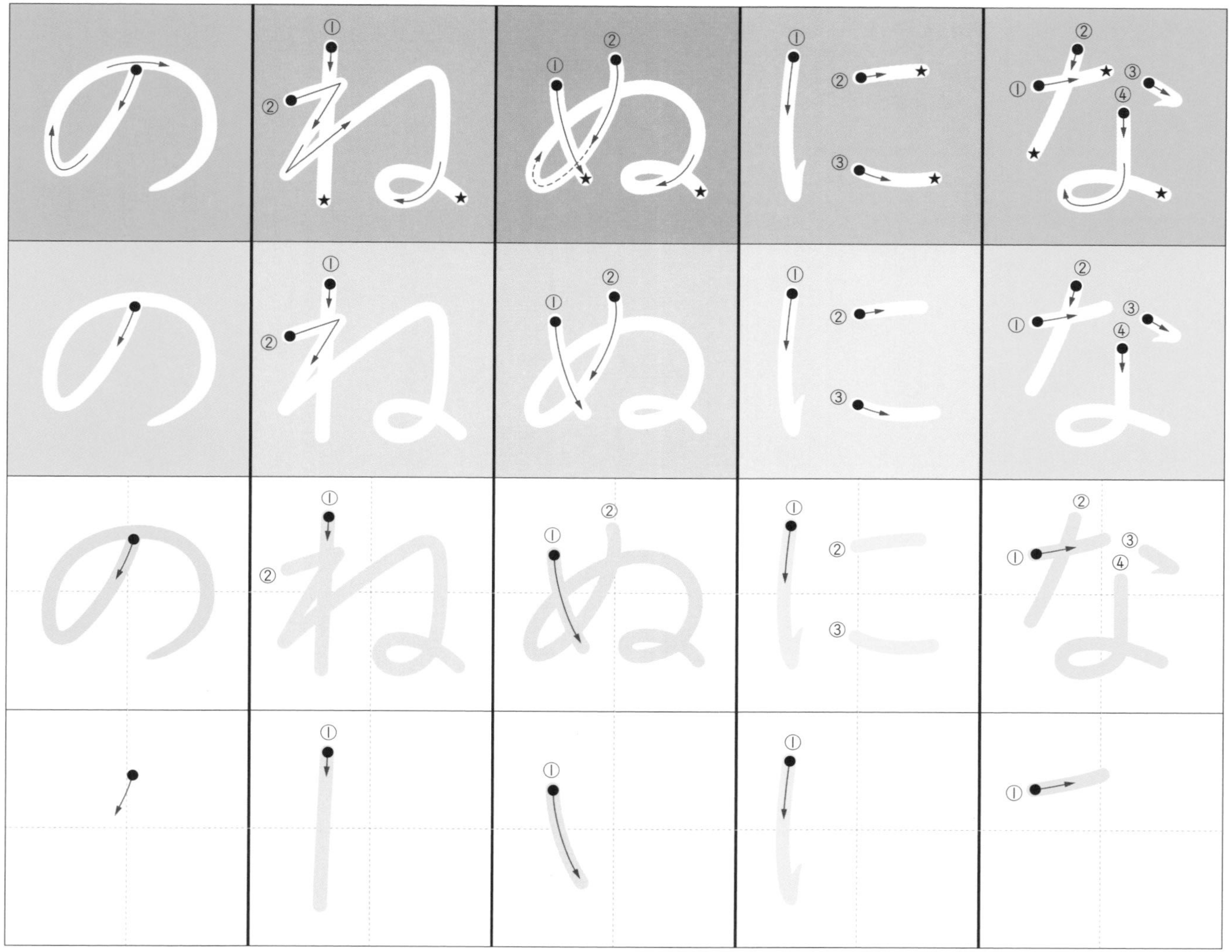

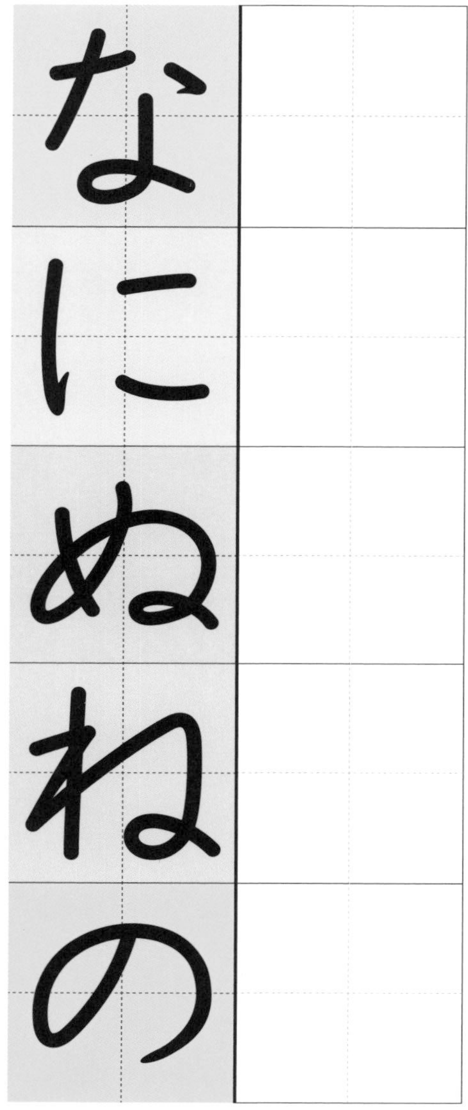

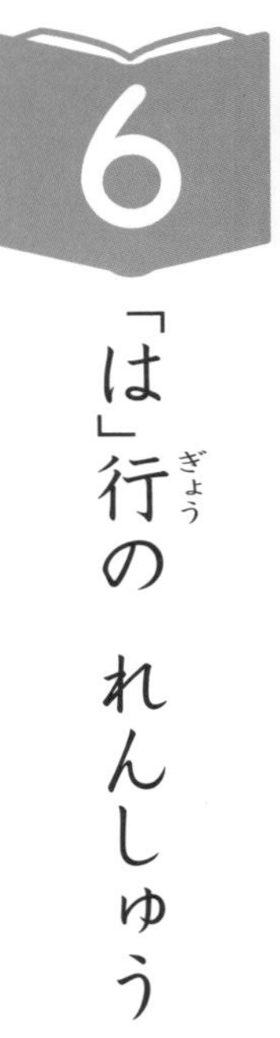

6 「は」行の れんしゅう

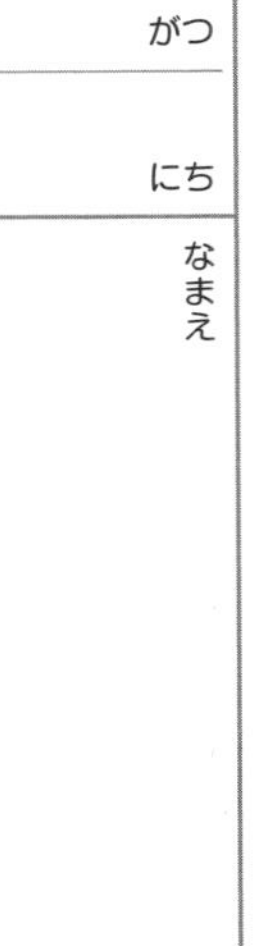

がつ　にち　なまえ

おうちのかたへ

書き順は、文字の形を覚えたあとに、意識しながら何度も書くことで、じょじょに身についていくものです。書き順をまちがえているからといって、無理に書き直させたりすると、やる気をそいでしまうこともあります。「次は①②③の順に書けるかな」などと声をかけ、自分から意識できるようにうながしてあげましょう。

すうじの じゅんに 「は」「ひ」「ふ」「へ」「ほ」を かきましょう。
(●は かきはじめる しるしです。★は とめる しるしです。)

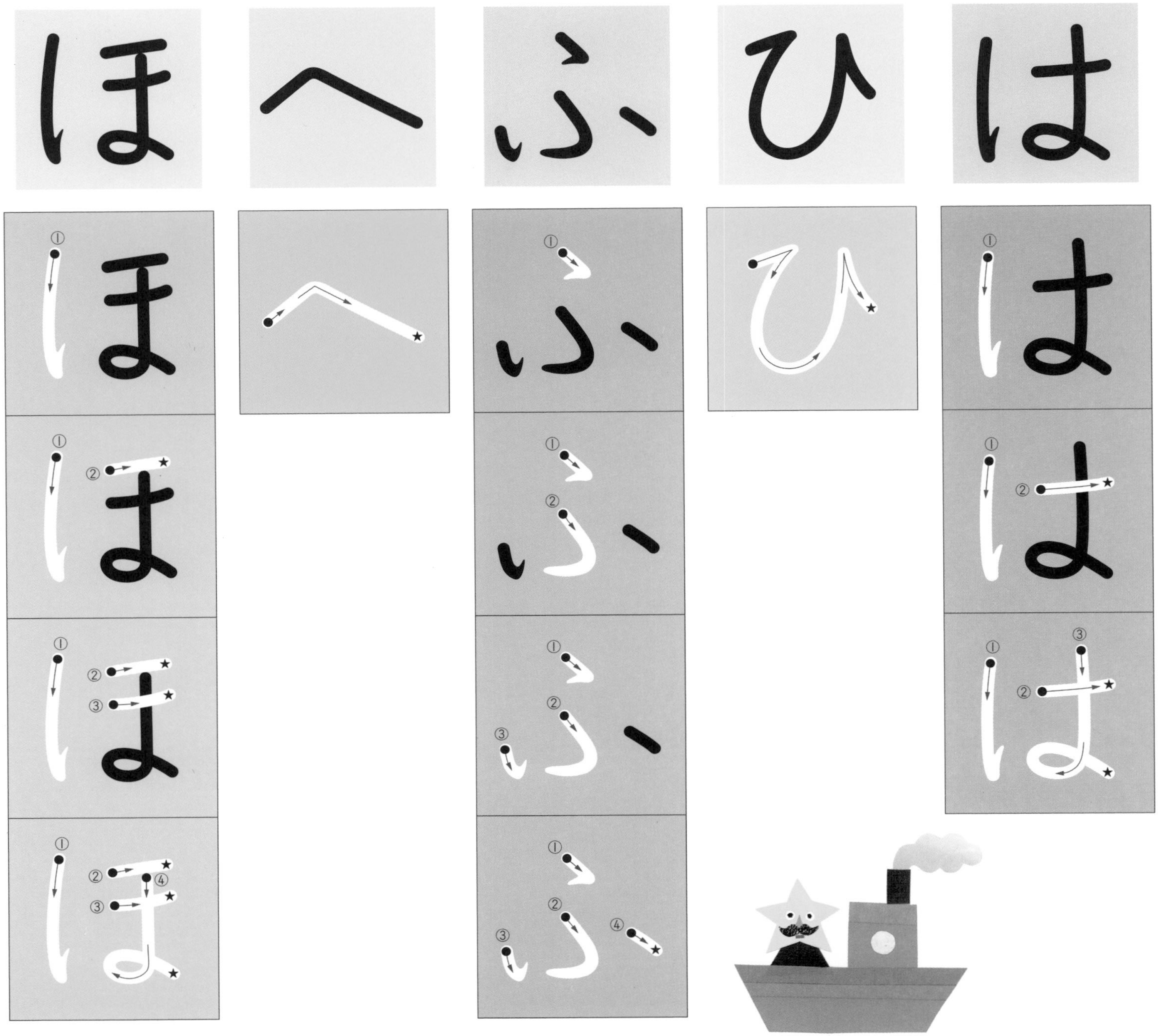

は　ひ　ふ　へ　ほ

こえに だして よみながら、「は」「ひ」「ふ」「へ」「ほ」を かきましょう。

は ひ ふ へ ほ

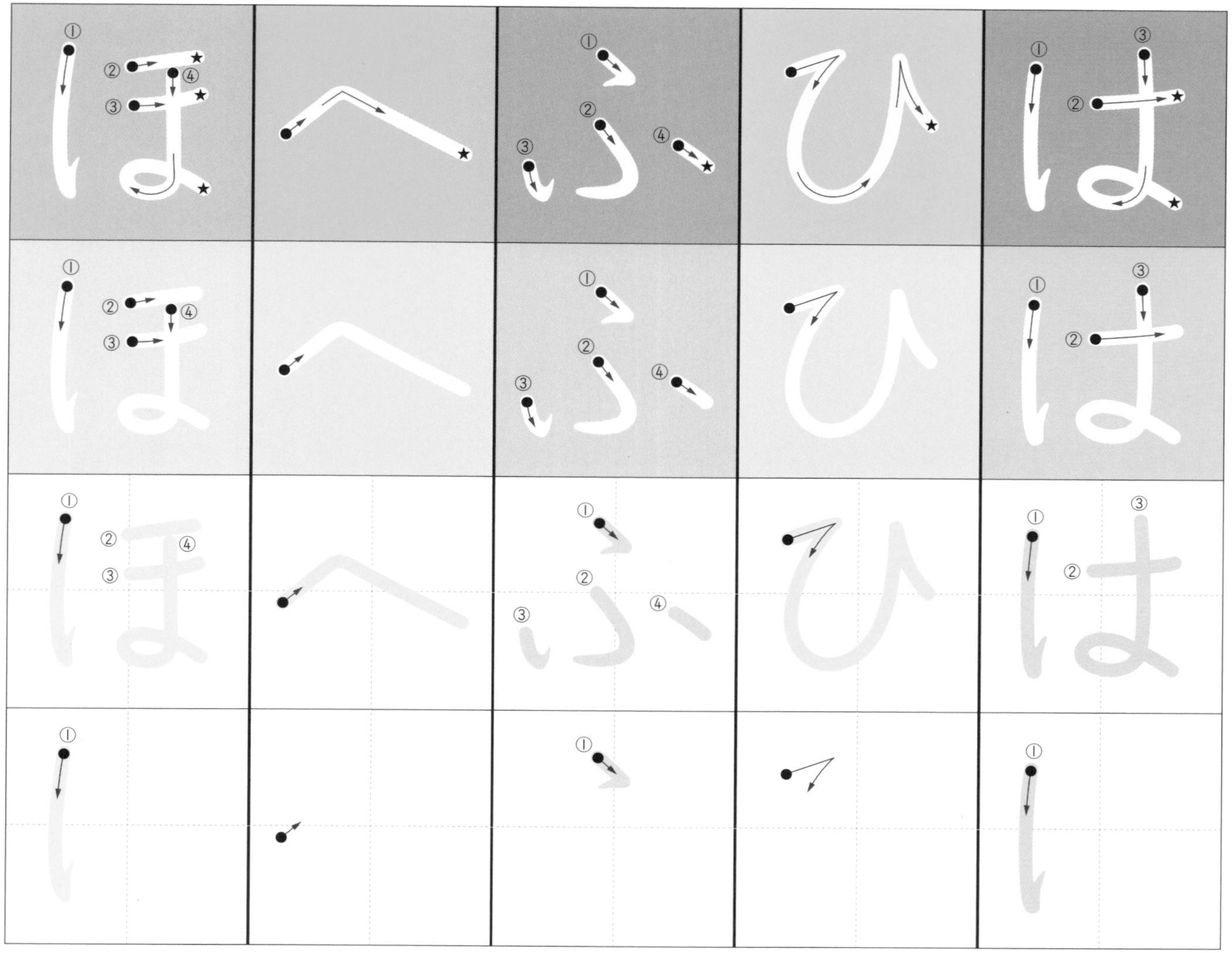

おてほんを みながら ひとりで かいて みましょう。

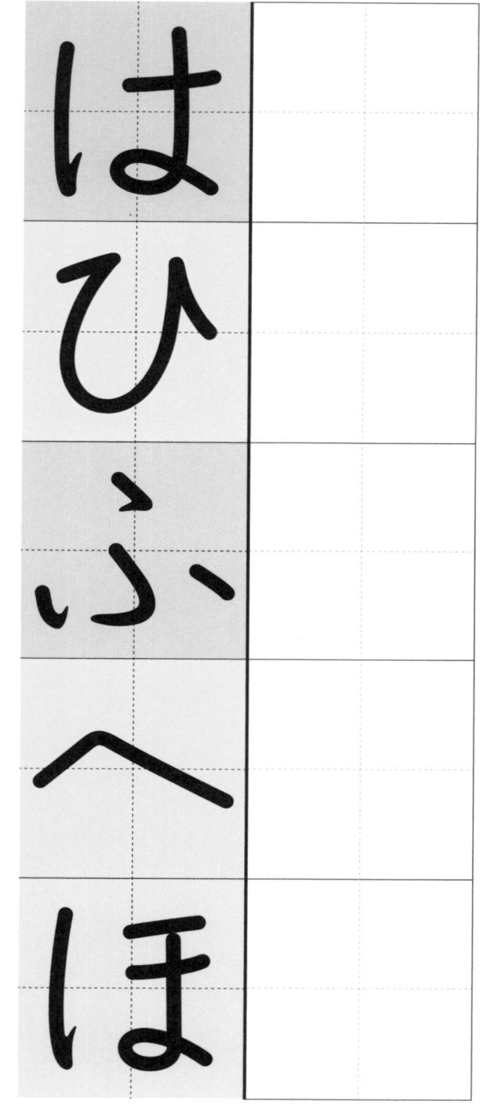

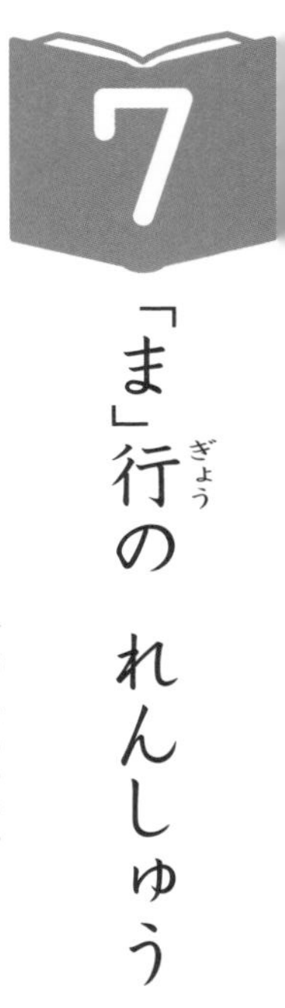

7 「ま」行の れんしゅう

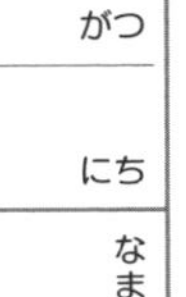

がつ　にち　なまえ

おうちのかたへ
本書では、丸つけをすることをとくにお願いしていませんが、おうちのかたが赤ペンで丸や花丸をつけてあげるのも、お子さまのやる気を引き出すよい方法です。うまく書けていないところを直すのではなく、じょうずに書けたところや、自分でがんばって直したところに花丸をつけてあげるようにしましょう。

すうじの じゅんに 「ま」「み」「む」「め」「も」を かきましょう。
（●は かきはじめる しるしです。★は とめる しるしです。）

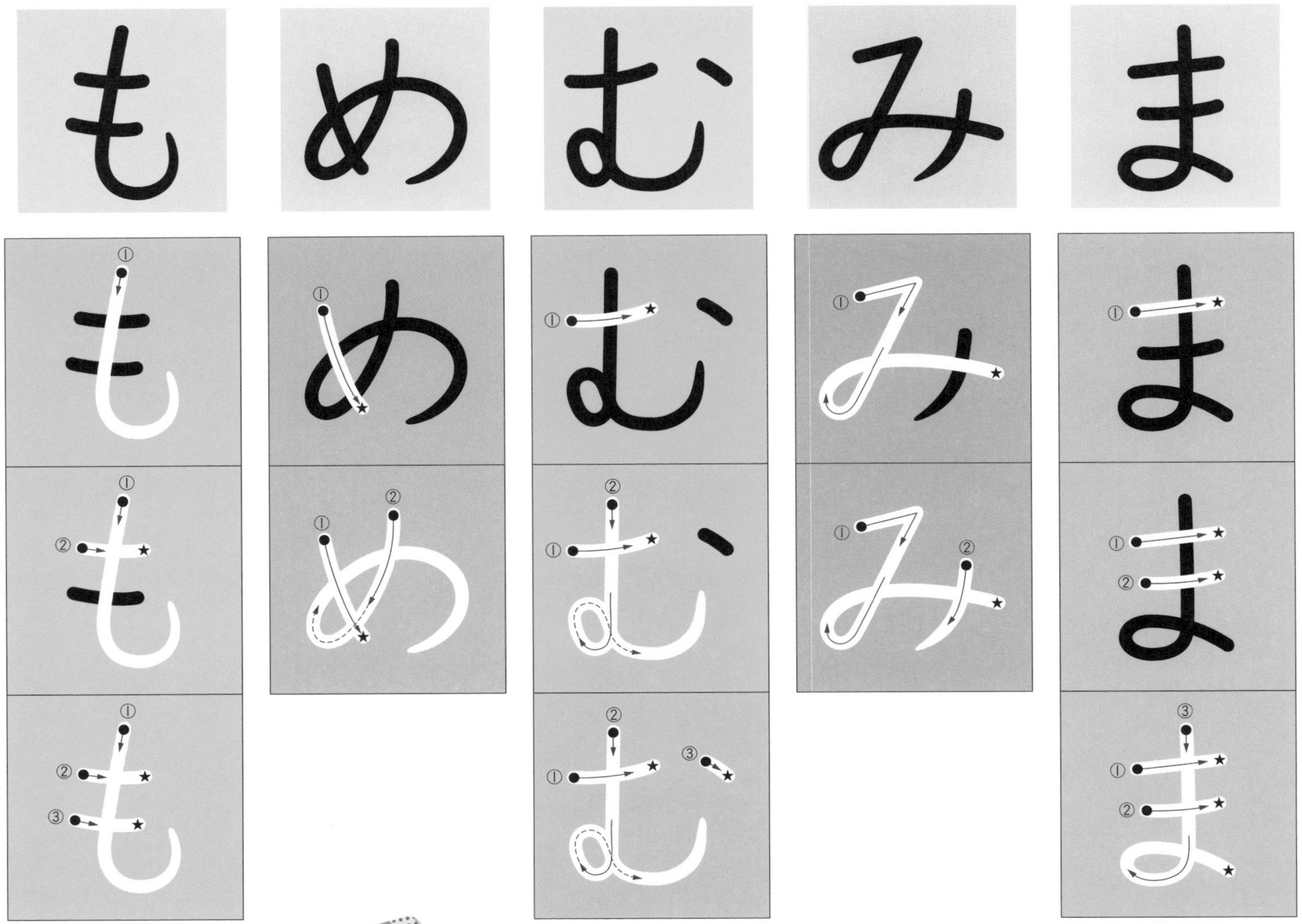

ま　み　む　め　も

こえに だして よみながら、「ま」「み」「む」「め」「も」を かきましょう。

ま み む め も

おてほんを みながら ひとりで かいて みましょう。

ま み む め も

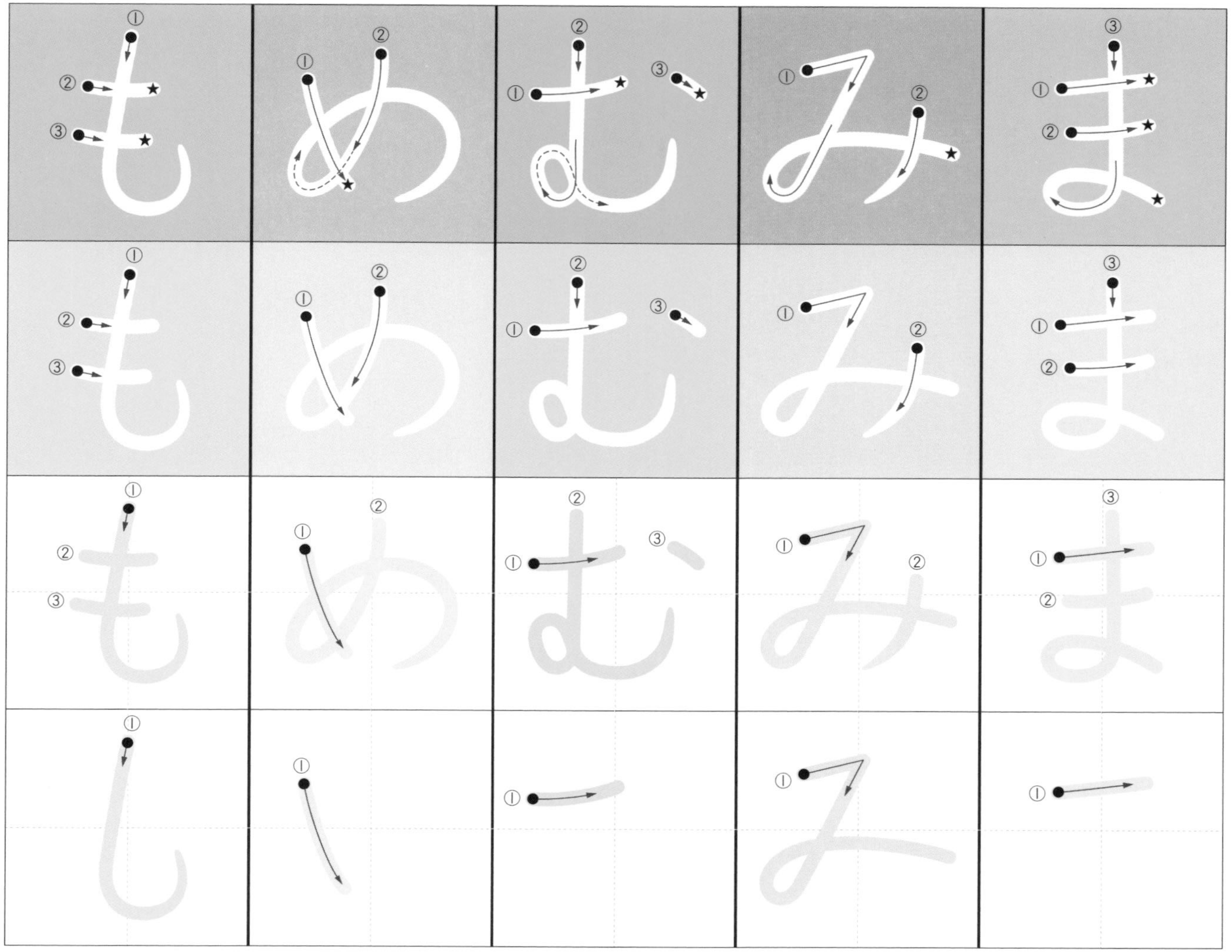

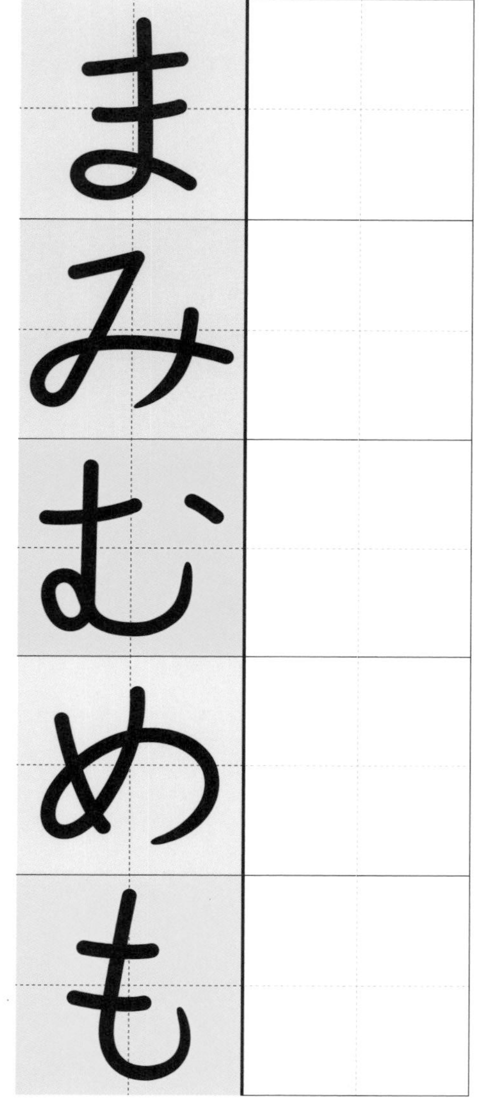

「や」行の れんしゅう

おうちのかたへ

ひらがなを読むことはできているようだけれど、線を引くのがたいへんそう、筆圧が弱々しいという場合は、運筆力（鉛筆を思いどおりに動かす力）が足りないのかもしれません。くもんの幼児ドリルシリーズの『やさしいめいろ』などを並行して進めて、遊びながら運筆力をつけてあげるのもよいでしょう。

すうじの じゅんに 「や」「ゆ」「よ」を かきましょう。
（●は かきはじめる しるしです。★は とめる しるしです。）

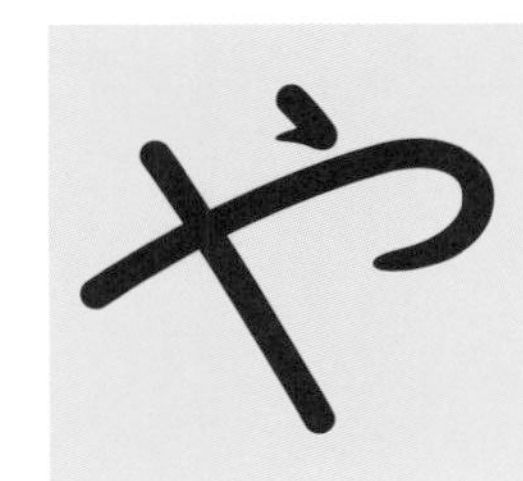

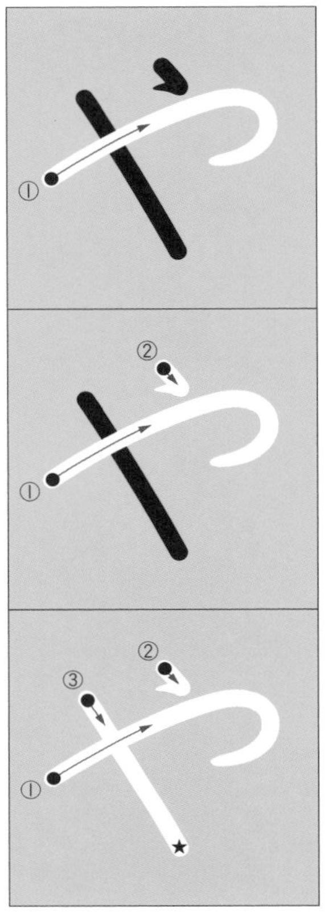

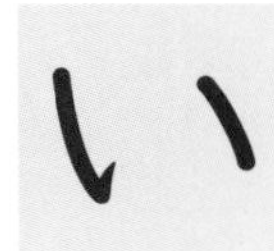

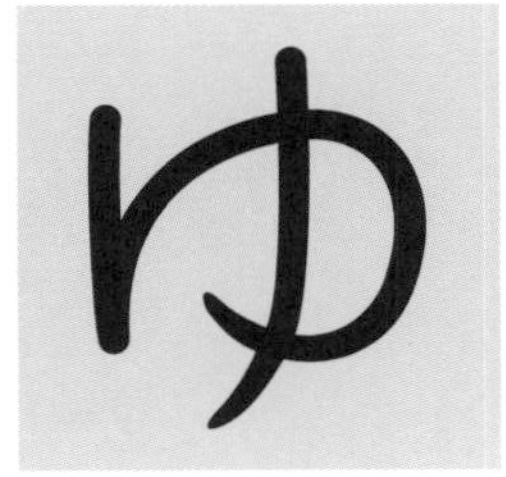

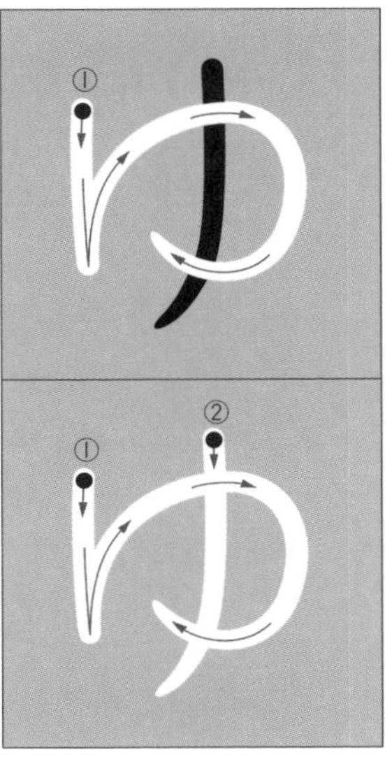

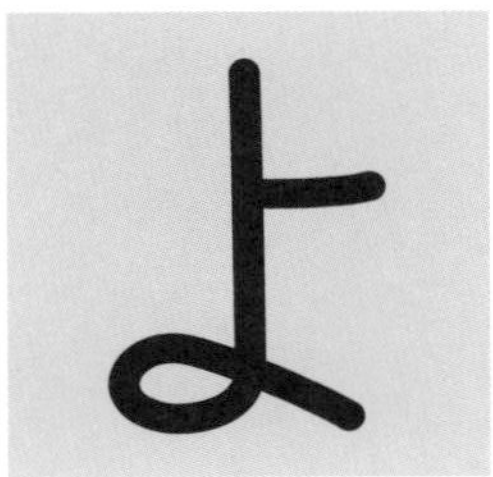

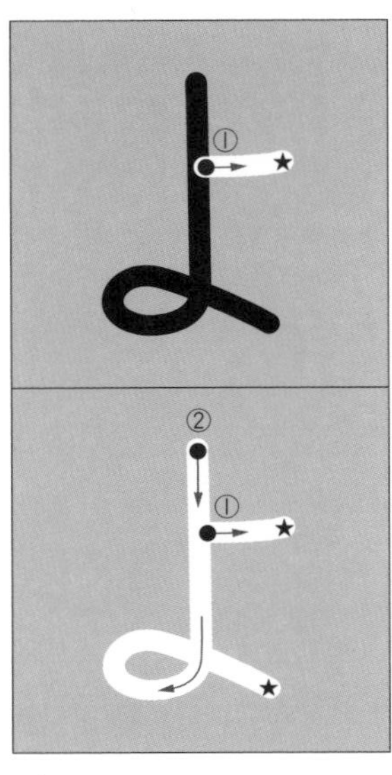

こえに だして よみながら、「や」「ゆ」「よ」を かきましょう。

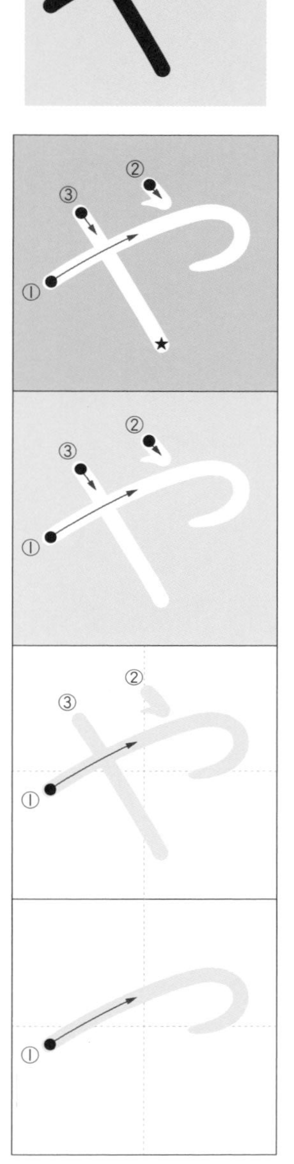

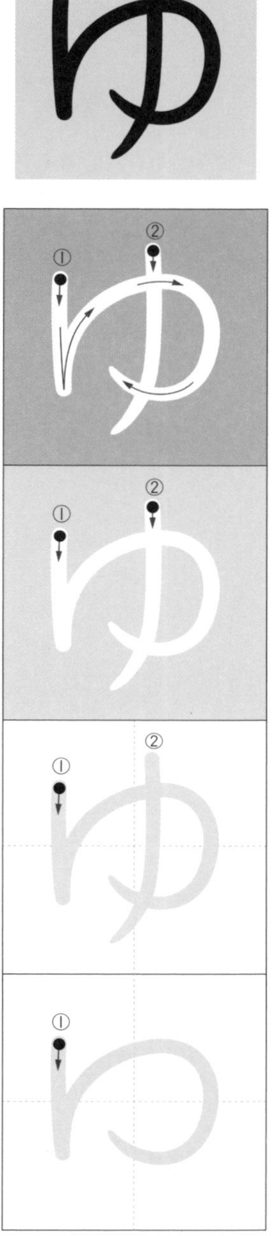

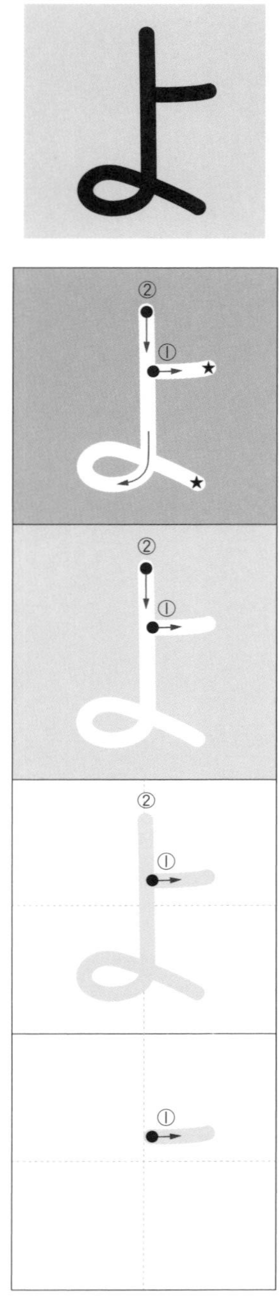

おてほんを みながら ひとりで かいて みましょう。

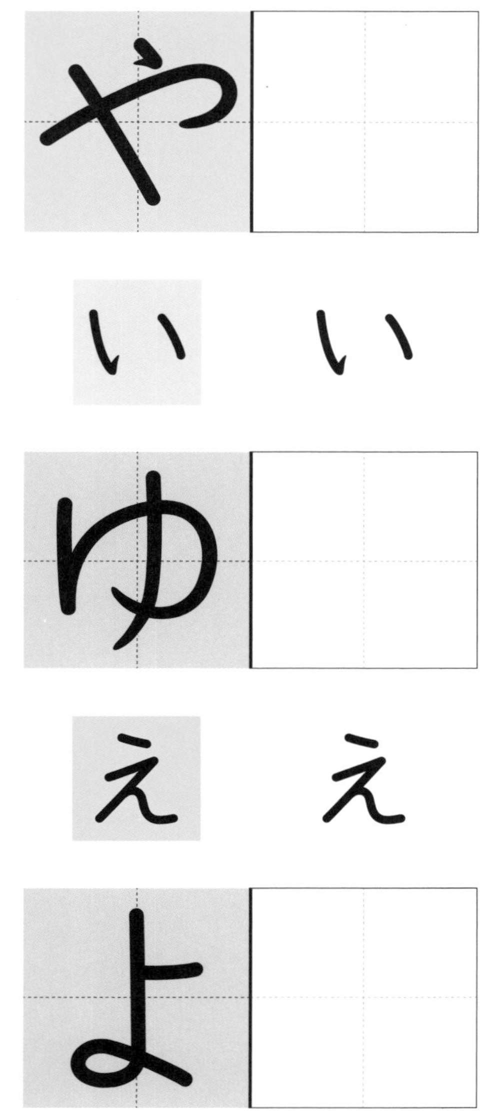

9 「ら」行の　れんしゅう

がつ　にち　なまえ

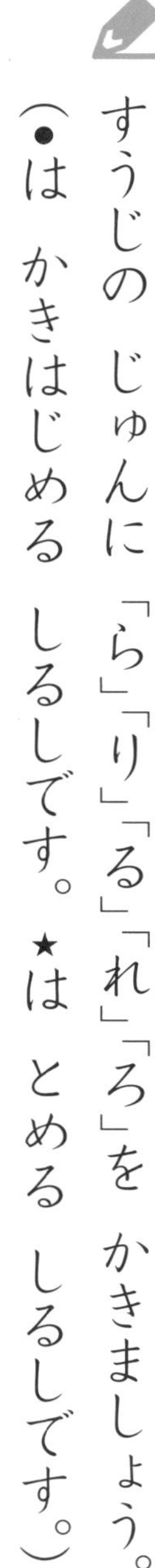

おうちのかたへ

じょうずに書くためには、座る姿勢や紙をおさえる手も大切です。ドリルの紙に対して、まっすぐに座り、鉛筆をもたないほうの手で紙をおさえるようにみちびいてあげましょう。また、書くことに集中しているうちに、鉛筆のもち方をまちがえてしまうことがあります。表紙のうらにある写真を参考にして、もち直させてあげるとよいでしょう。

すうじの　じゅんに　「ら」「り」「る」「れ」「ろ」を　かきましょう。
（●は　かきはじめる　しるしです。★は　とめる　しるしです。）

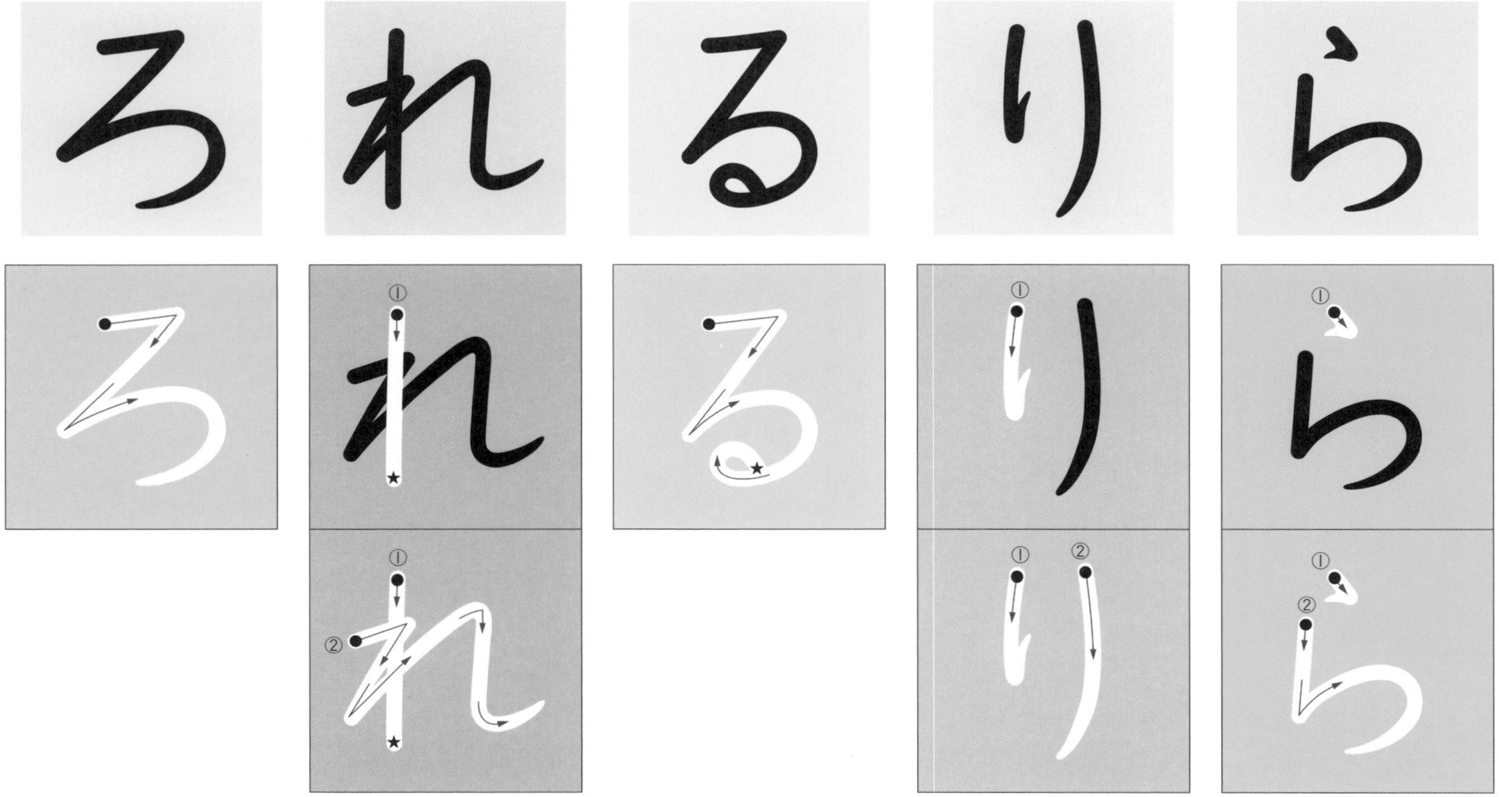

ら　り　る　れ　ろ

こえに　だして　よみながら、「ら」「り」「る」「れ」「ろ」を　かきましょう。

ら　り　る　れ　ろ

おてほんを　みながら　ひとりで　かいて　みましょう。

ら
り
る
れ
ろ

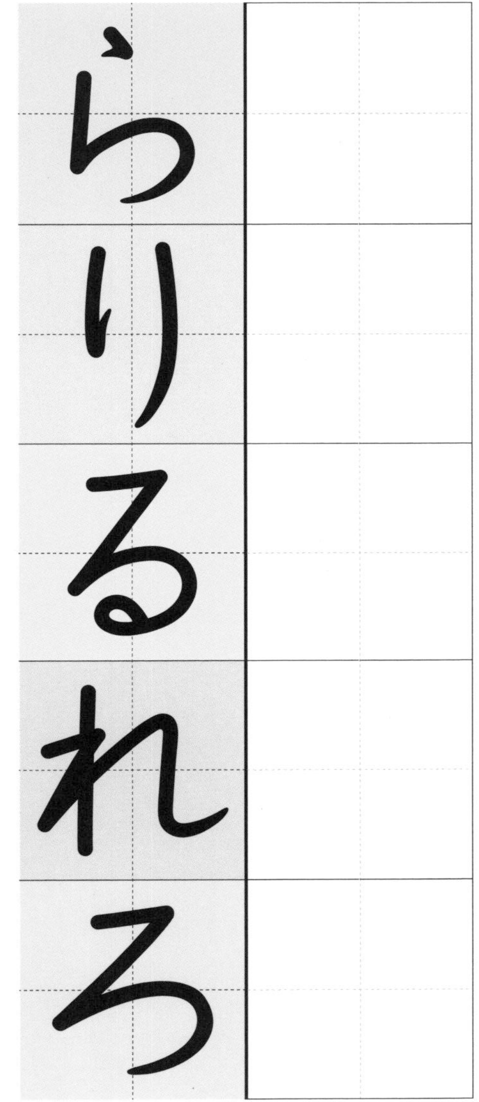

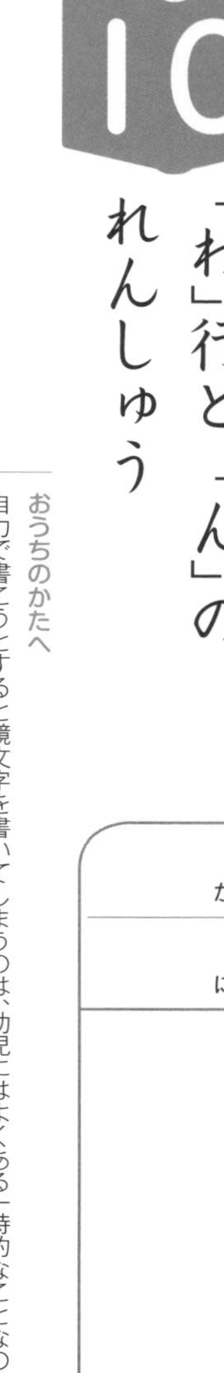

10 「わ」行と「ん」の れんしゅう

がつ　にち　なまえ

おうちのかたへ

自力で書こうとすると鏡文字を書いてしまうのは、幼児にはよくある一時的なことなので、あせってすぐに直させる必要はありません。何度も書き直させると、やる気をそいでしまうこともあります。「形がちがうみたいだね」などと声をかけ、となりに正しいひらがなを書いてあげるなど、自分で気づけるように少しずつみちびいてあげましょう。

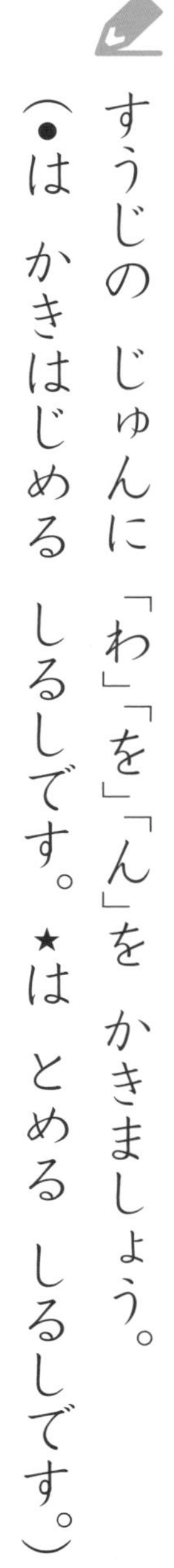

すうじの じゅんに 「わ」「を」「ん」を かきましょう。
（●は かきはじめる しるしです。★は とめる しるしです。）

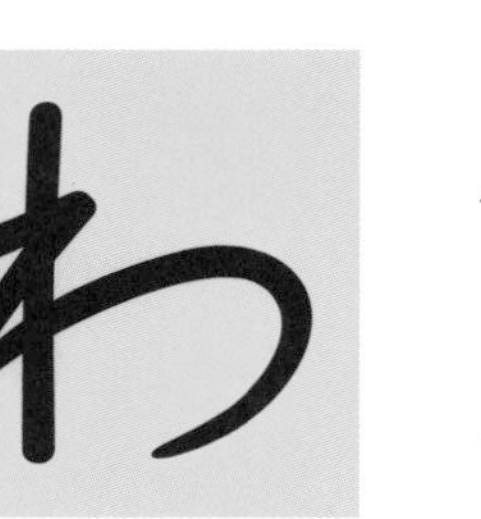

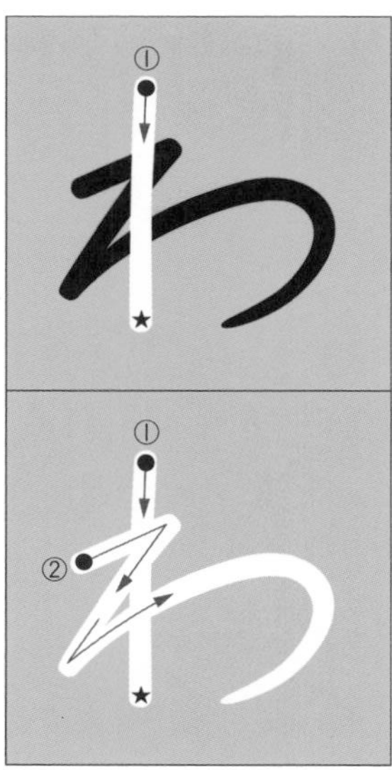

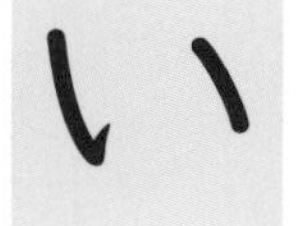

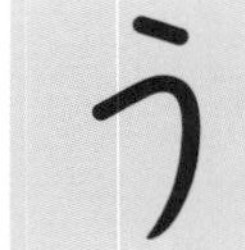

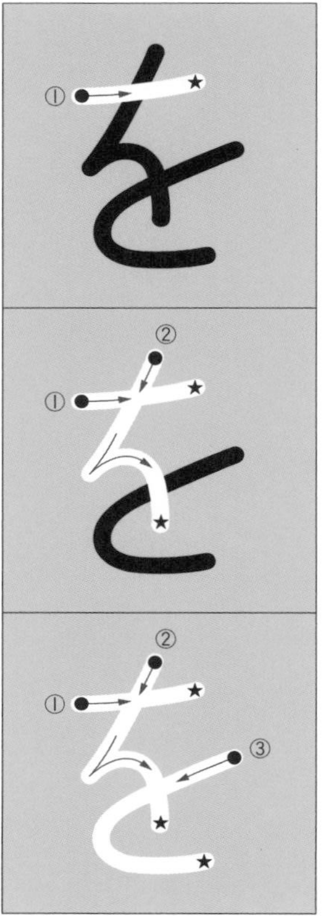

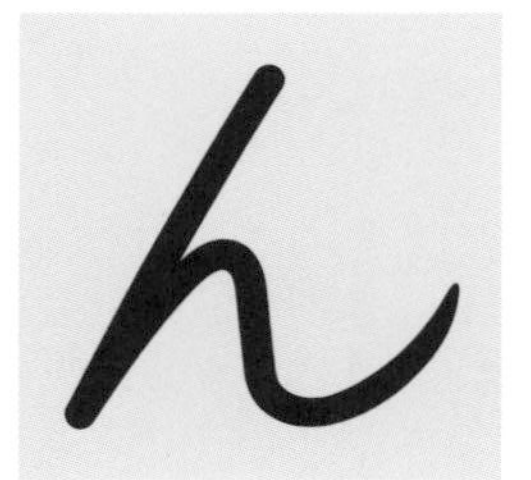

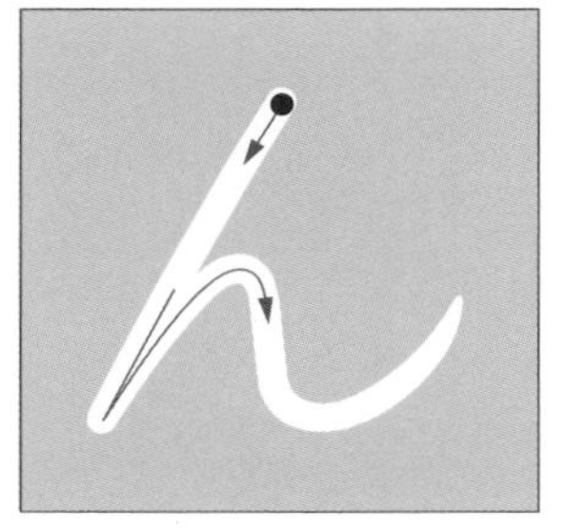

こえに だして よみながら、「わ」「を」「ん」を かきましょう。

わ い う え を ん

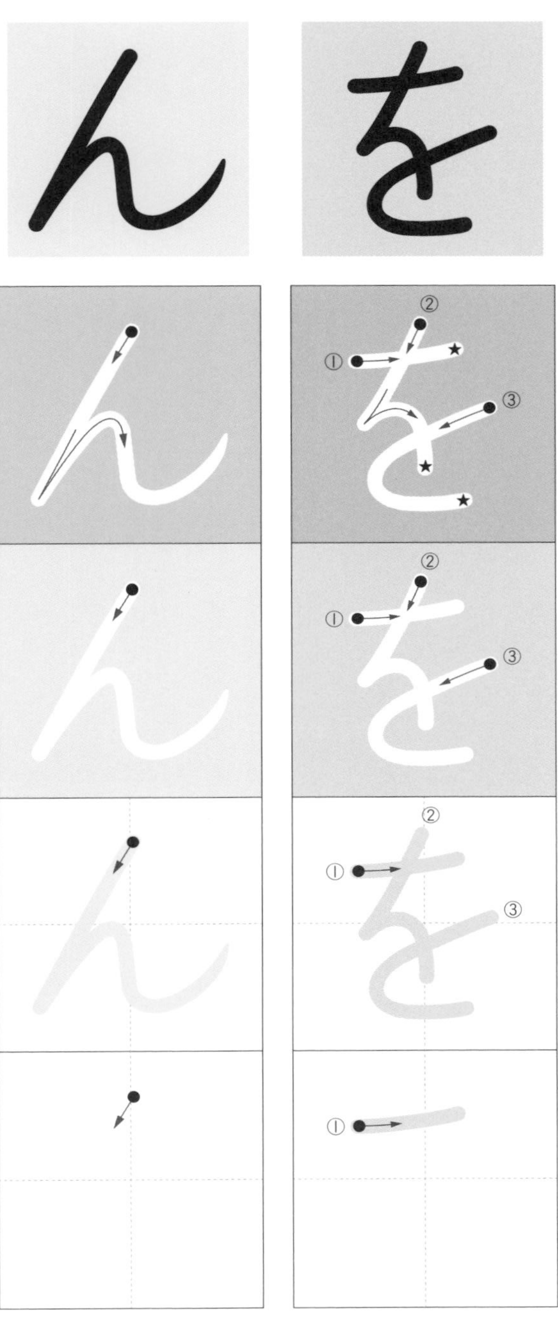

おてほんを みながら ひとりで かいて みましょう。

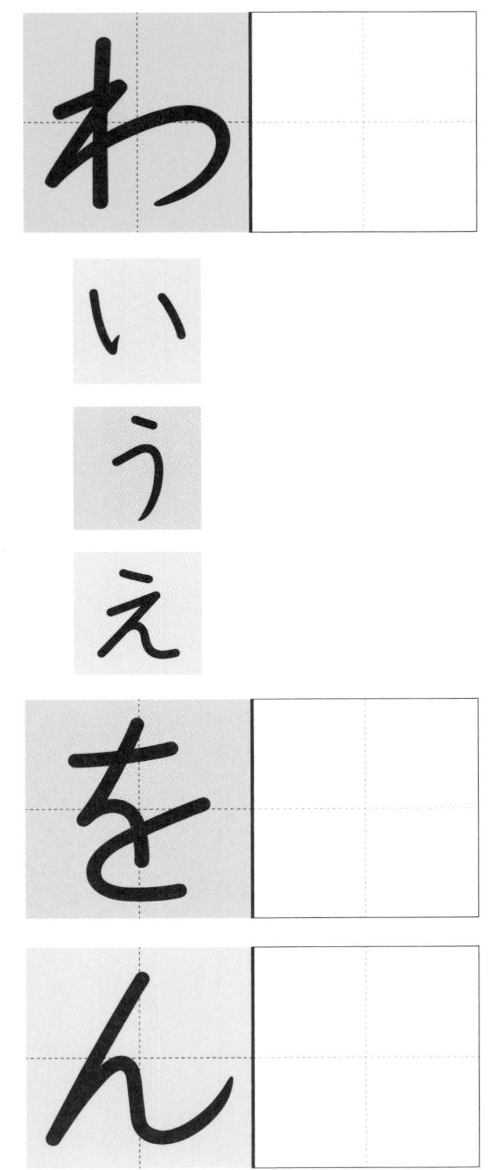

わ い う え を ん

ひらがなの ひょう①

がつ　にち　なまえ

おうちのかたへ
ここまで練習したひらがなの清音46文字を、表のなかで書いてみましょう。書けたら、1文字1文字を指さしながら、声に出して「あ、い、う、え、お」と読んでみましょう。おうちのかたもいっしょに声を出して、リズムよく読みましょう。

ひらがなを なぞって ひょうを つくりましょう。

な	た	さ	か	あ
に	ち	し	き	い
ぬ	つ	す	く	う
ね	て	せ	け	え
の	と	そ	こ	お

ひらがなを なぞって ひょうを つくりましょう。

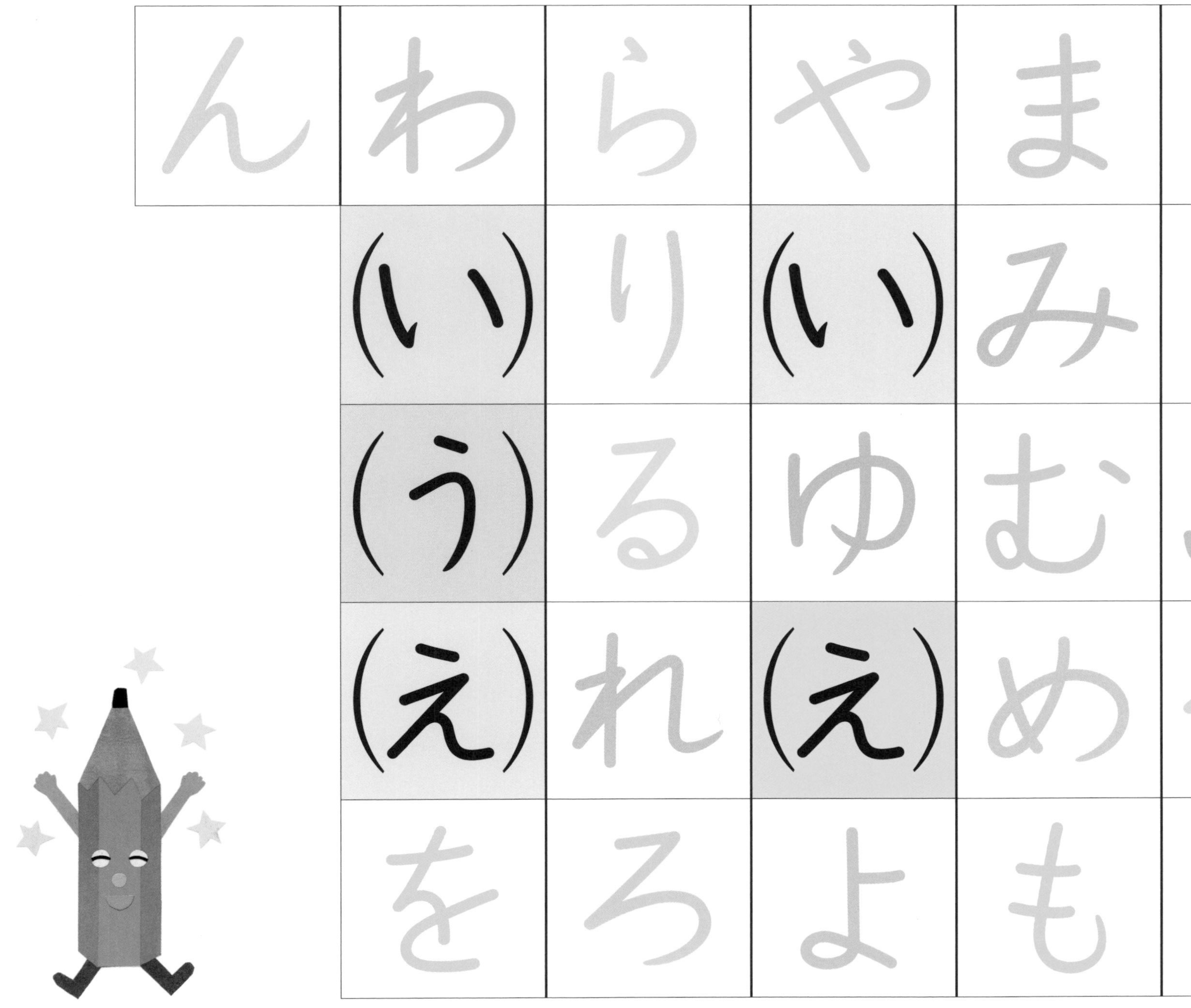

12 「が」行(ぎょう)の れんしゅう

がつ　にち　なまえ

おうちのかたへ

ここからは、濁音や半濁音を、五十音順に練習していきます。「『が』は『か』にてんてんね」などと、声をかけながら進めてください。「が、ぎ、ぐ、げ、ご」と元気よく声に出しながら書けるとよいでしょう。

すうじの じゅんに 「が」「ぎ」「ぐ」「げ」「ご」を かきましょう。
（●は かきはじめる しるしです。★は とめる しるしです。）

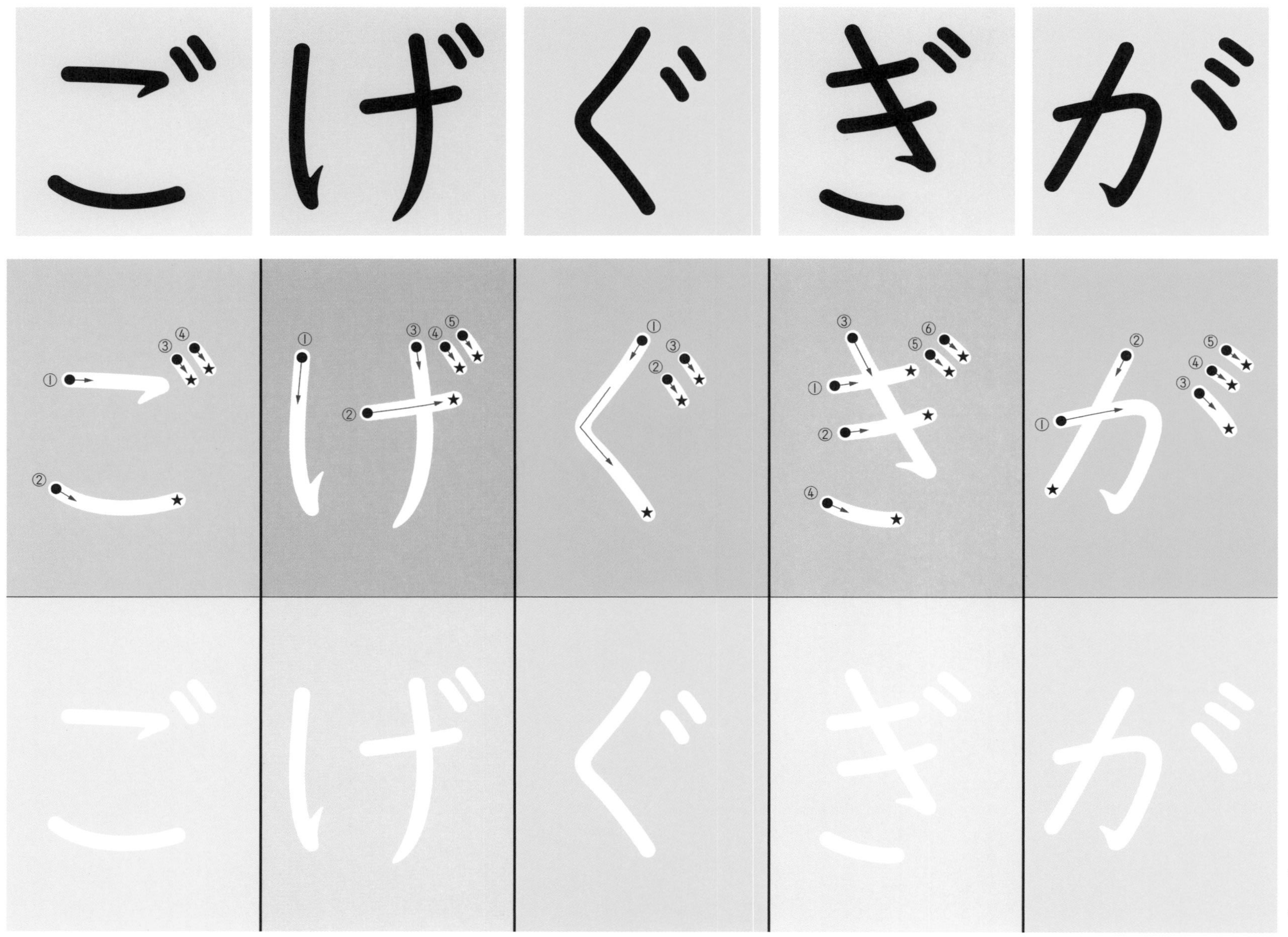

こえに だして よみながら、「が」「ぎ」「ぐ」「げ」「ご」を かきましょう。

が ぎ ぐ げ ご

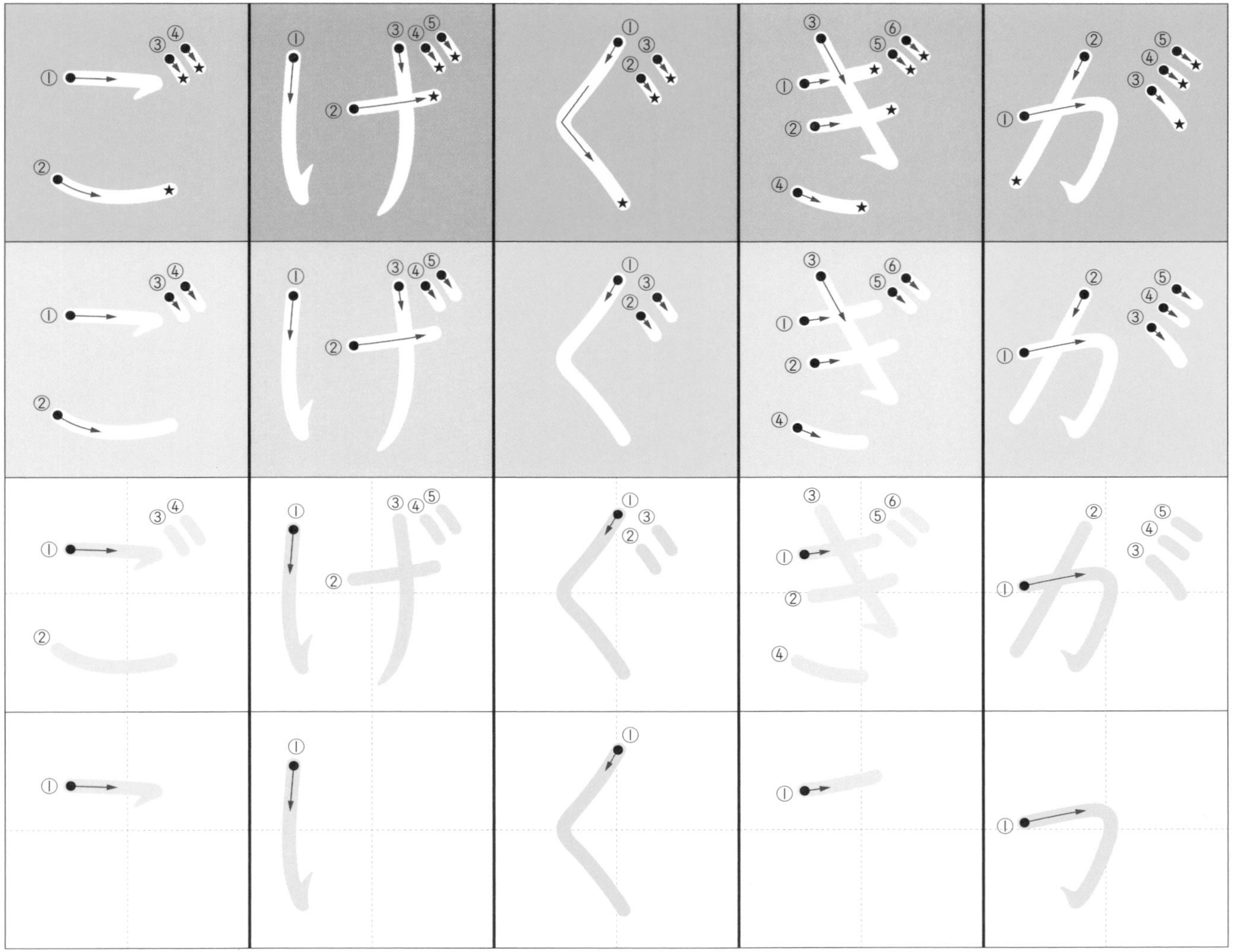

おてほんを みながら ひとりで かいて みましょう。

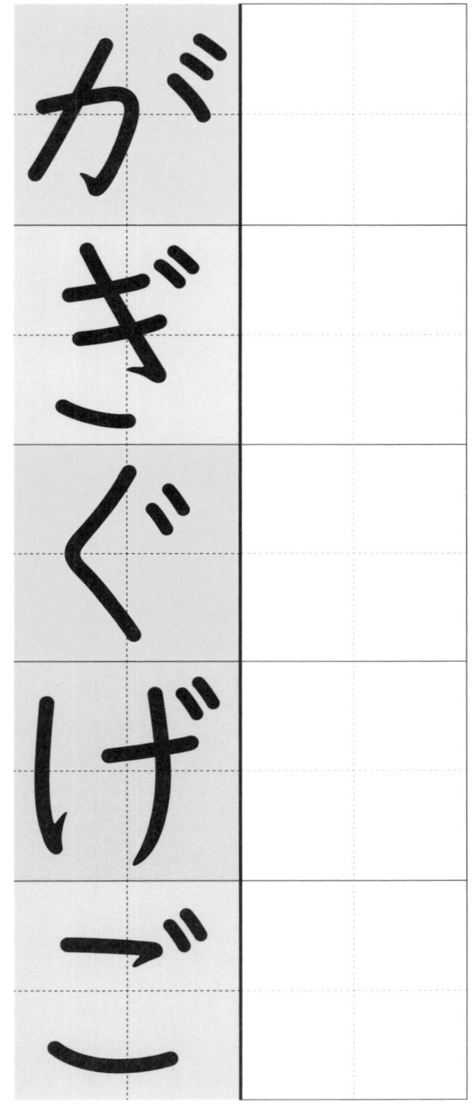

13 「ざ」行（ぎょう）の　れんしゅう

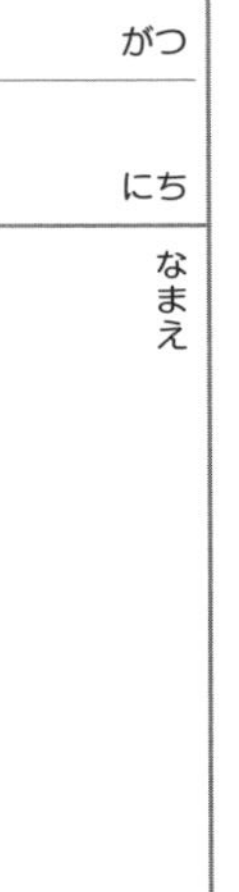

がつ　にち　なまえ

おうちのかたへ
おもて面で、2回目のなぞりには、書き順を入れていません。「1回目を見て、①②③の順に書けるかな」と声をかけてあげてください。また、うら面では、「てんてんをつけるのを忘れないでね」と声をかけてあげましょう。

すうじの　じゅんに　「ざ」「じ」「ず」「ぜ」「ぞ」を　かきましょう。
（●は　かきはじめる　しるしです。★は　とめる　しるしです。）

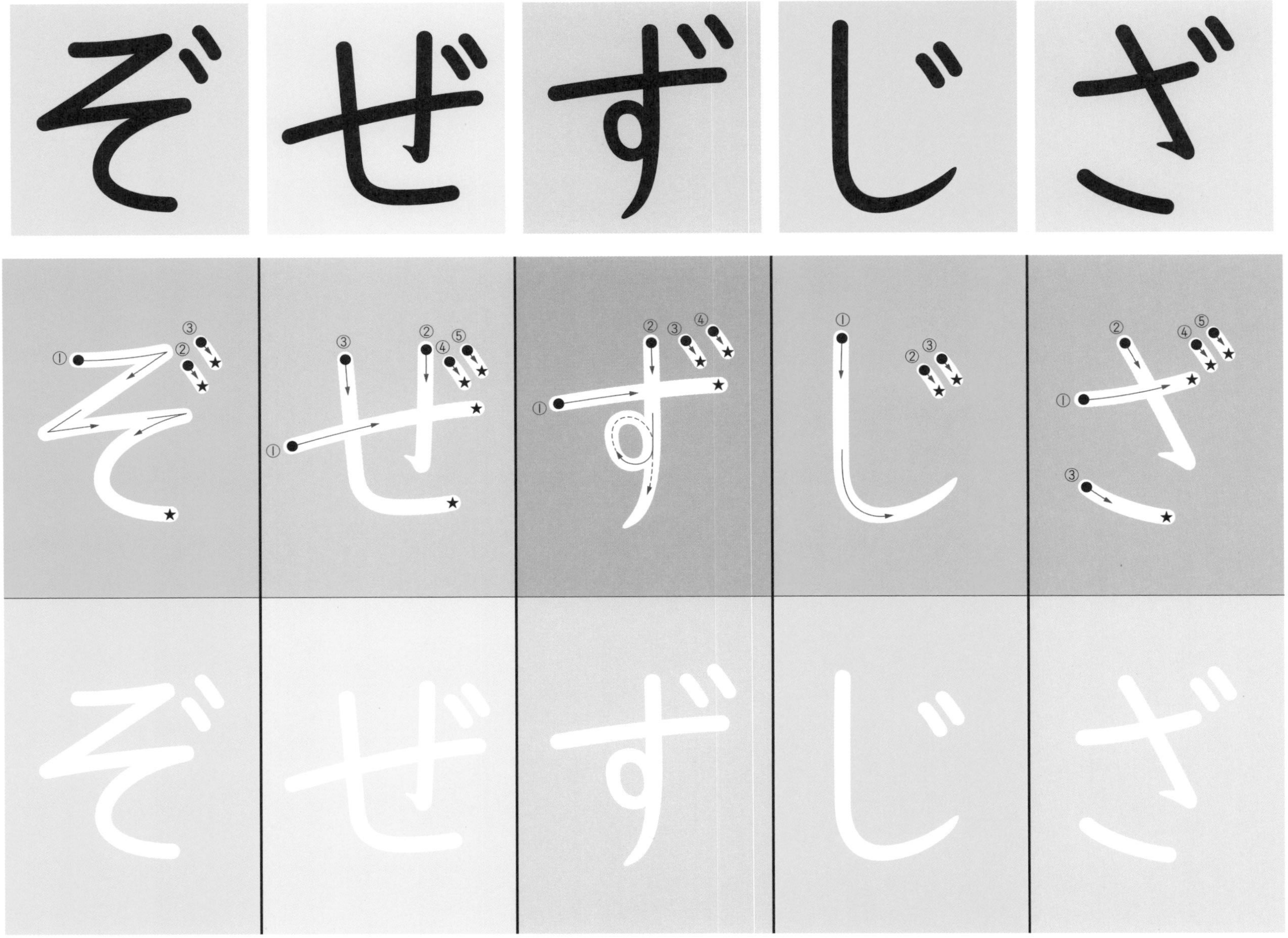

ざ　じ　ず　ぜ　ぞ

こえに だして よみながら、「ざ」「じ」「ず」「ぜ」「ぞ」を かきましょう。

ざ じ ず ぜ ぞ

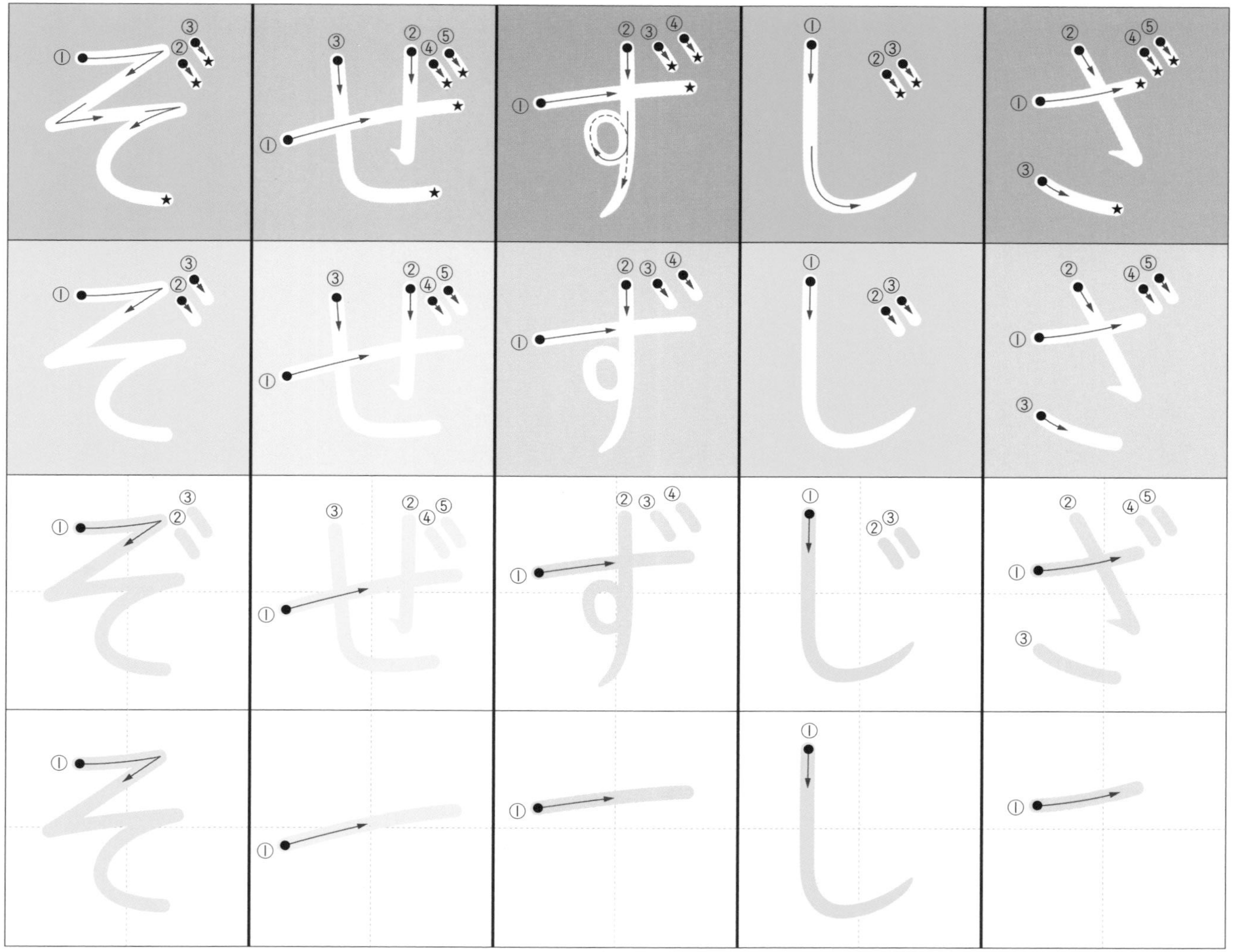

おてほんを みながら ひとりで かいて みましょう。

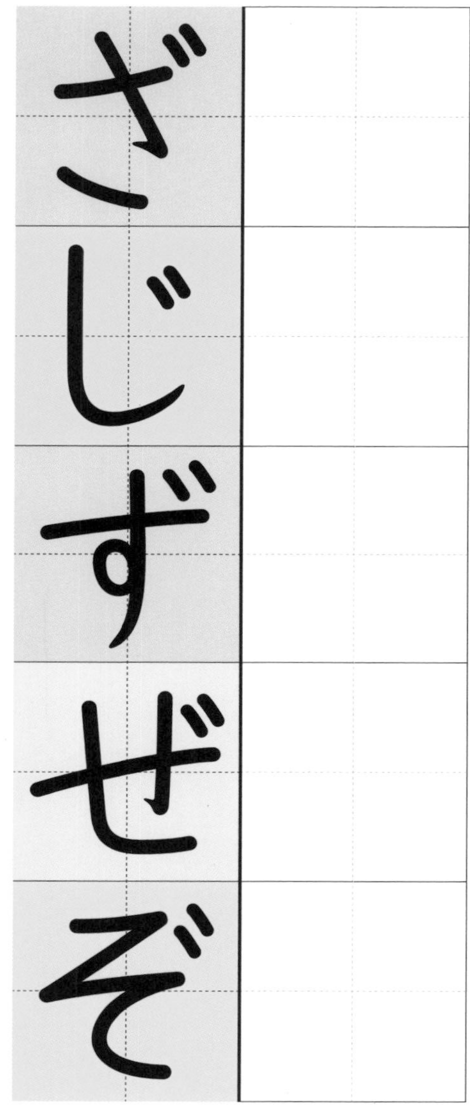

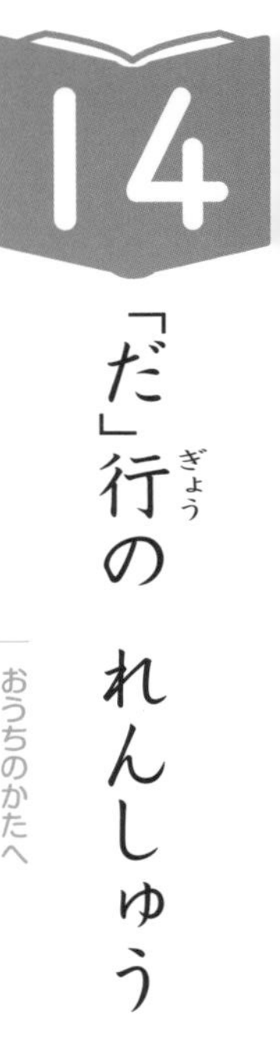

14 「だ」行の れんしゅう

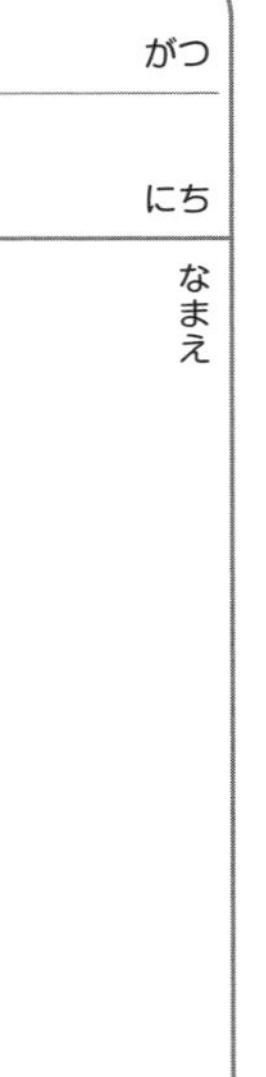

がつ　にち　なまえ

おうちのかたへ
お子さまにとって、ひらがなを何度もなぞったり、書いたりすることは、たいへん難しく、集中力のいることです。1枚おわるごとにたくさんほめてあげましょう。おうちのかたのほめことばで、「ひらがなが書けた」という喜びをたくさん感じさせてあげることによって、文字を書くことがすきになり、学習を楽しく続けることができます。

すうじの じゅんに 「だ」「ぢ」「づ」「で」「ど」を かきましょう。
（●は かきはじめる しるしです。★は とめる しるしです。）

だ　ぢ　づ　で　ど

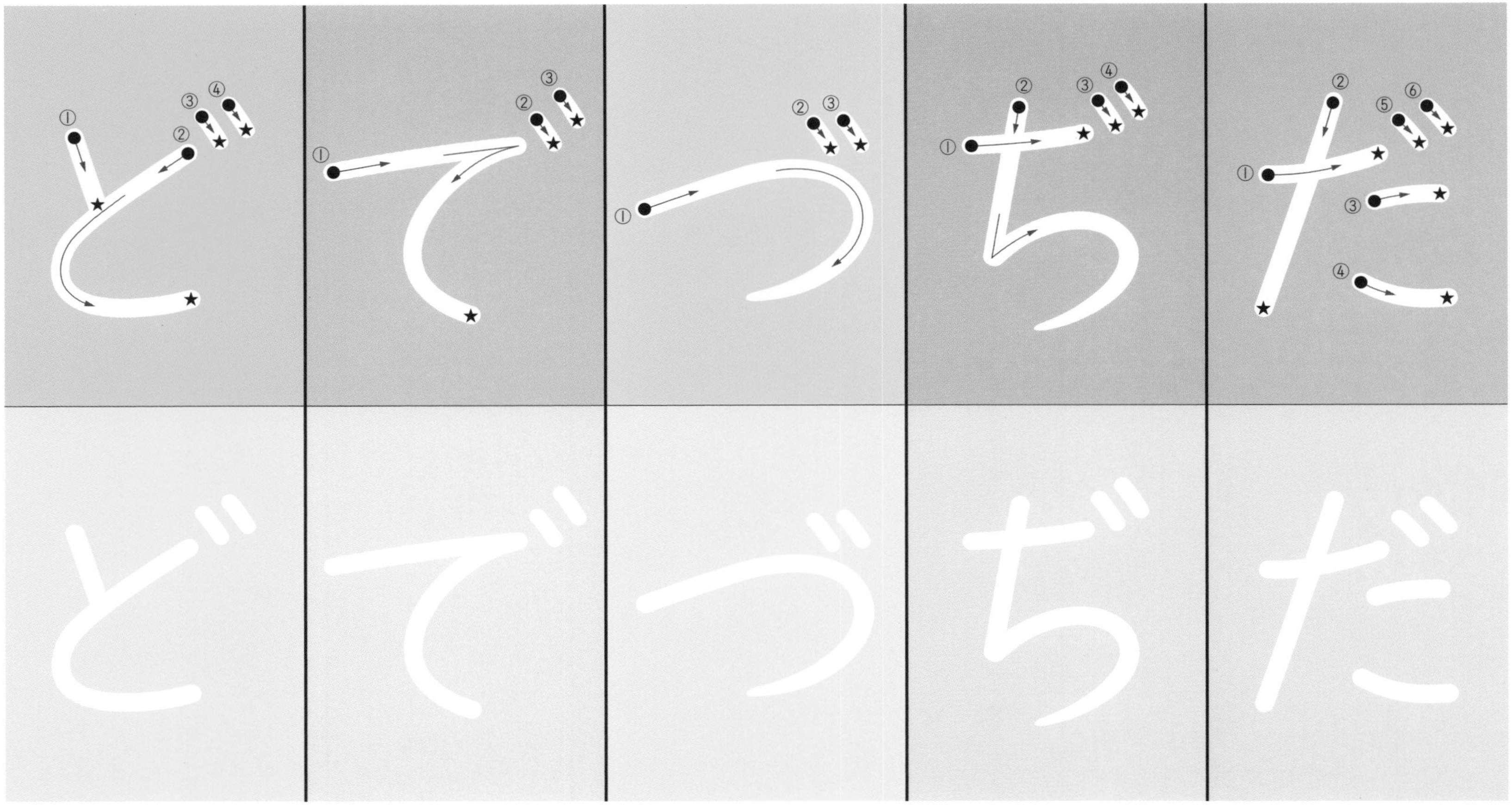

こえに だして よみながら、「だ」「ぢ」「づ」「で」「ど」を かきましょう。

だ ぢ づ で ど

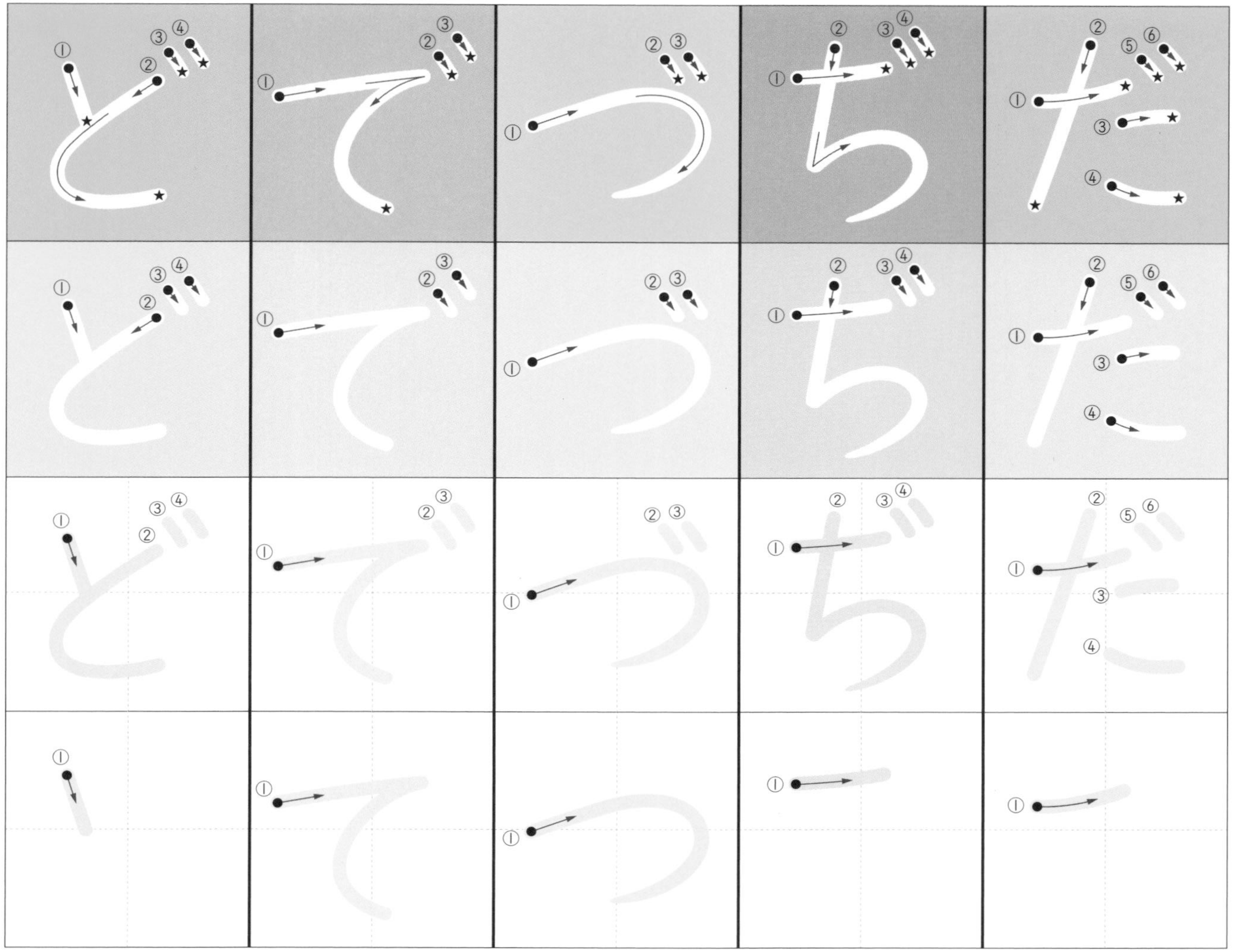

おてほんを みながら ひとりで かいて みましょう。

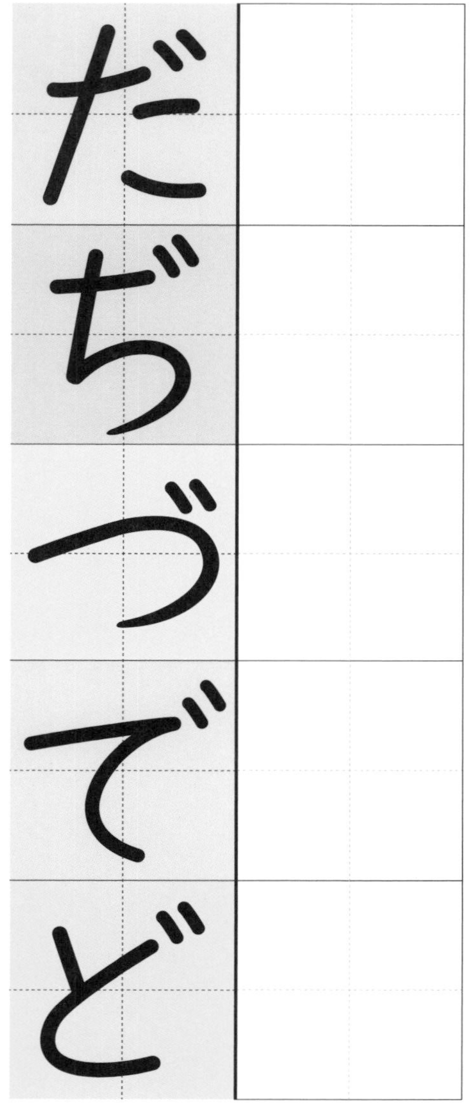

15 「ば」行(ぎょう)の れんしゅう

がつ	にち	なまえ

おうちのかたへ

くもんの幼児ドリルは、1枚ずつはがして学習することをおすすめしています。1枚ごとに「できた！」という達成感を味わうことができ、次の1枚への学習意欲につながります。おわったら、クリップやファイルを使ってまとめておきましょう。最初のほうのページとくらべると、お子さまの成長がよくわかり、たくさんほめてあげたくなるものです。

すうじの じゅんに 「ば」「び」「ぶ」「べ」「ぼ」を かきましょう。
（●は かきはじめる しるしです。★は とめる しるしです。）

ば　び　ぶ　べ　ぼ

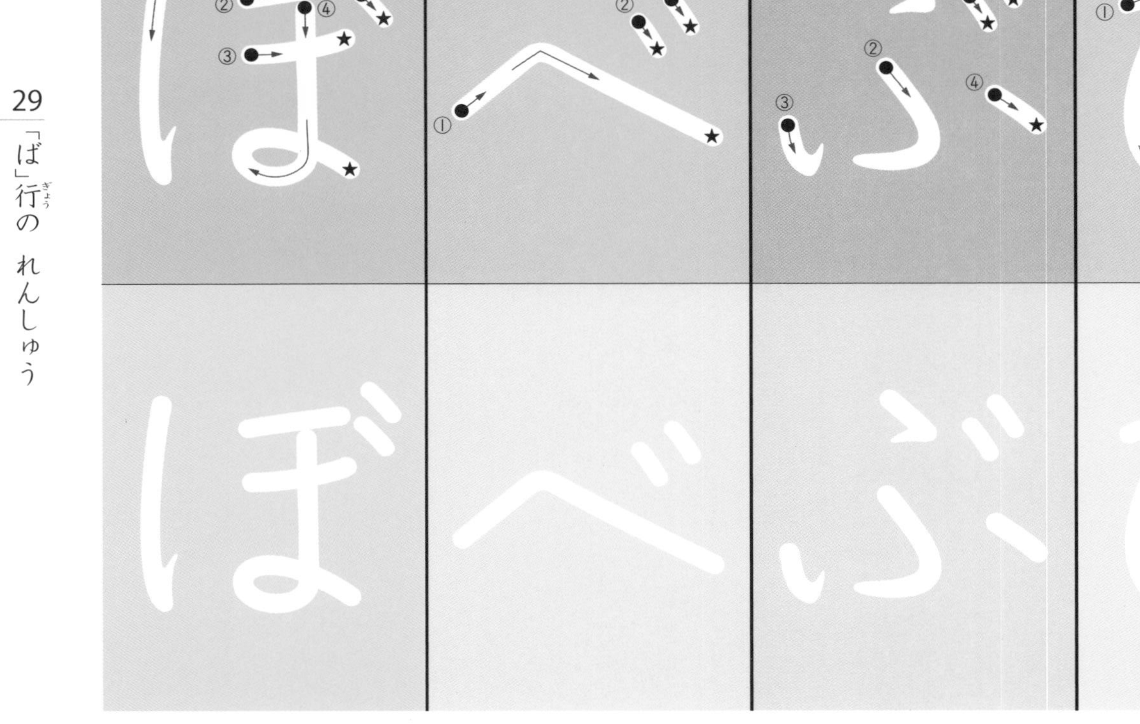

こえに だして よみながら、「ば」「び」「ぶ」「べ」「ぼ」を かきましょう。

ば び ぶ べ ぼ

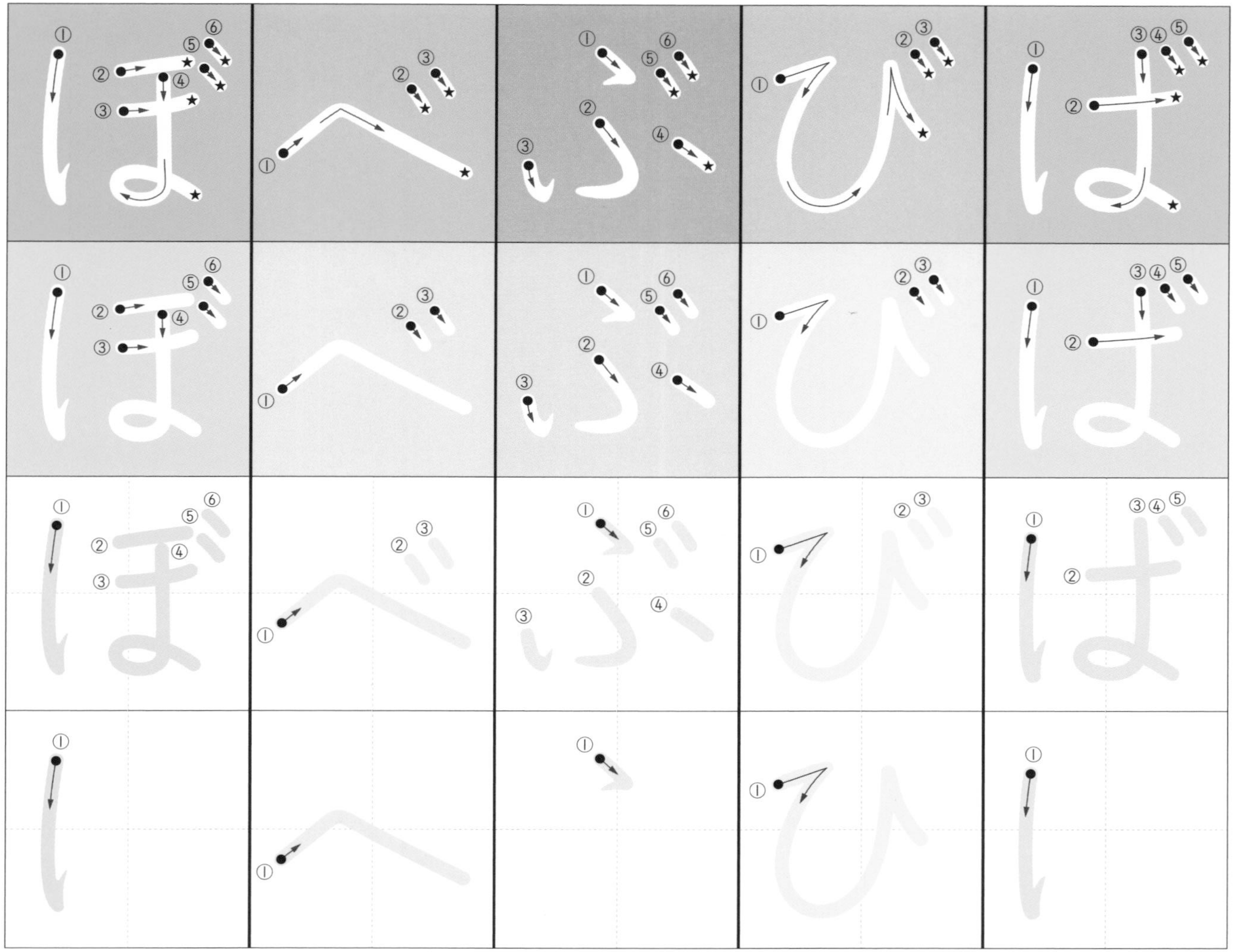

おてほんを みながら ひとりで かいて みましょう。

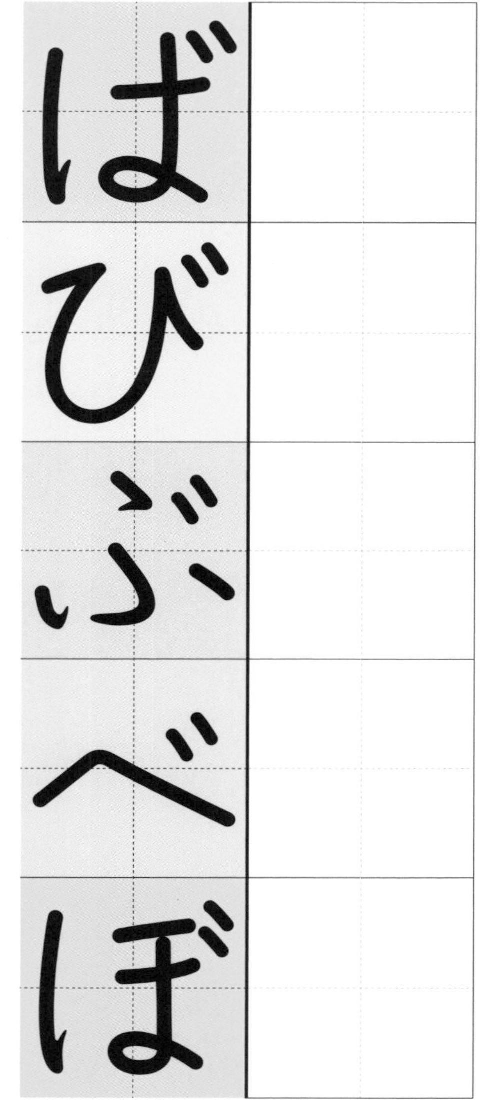

16 「ぱ」行の　れんしゅう

がつ　にち　なまえ

おうちのかたへ

半濁音「ぱぴぷぺぽ」の練習です。「『ぱ』は『は』にまるね」などと、声をかけながら進めてください。「ぱ、ぴ、ぷ、ぺ、ぽ」と元気よく声に出しながら書けるとよいでしょう。

すうじの　じゅんに　「ぱ」「ぴ」「ぷ」「ぺ」「ぽ」を　かきましょう。
（●は　かきはじめる　しるしです。★は　とめる　しるしです。）

ぱ　ぴ　ぷ　ぺ　ぽ

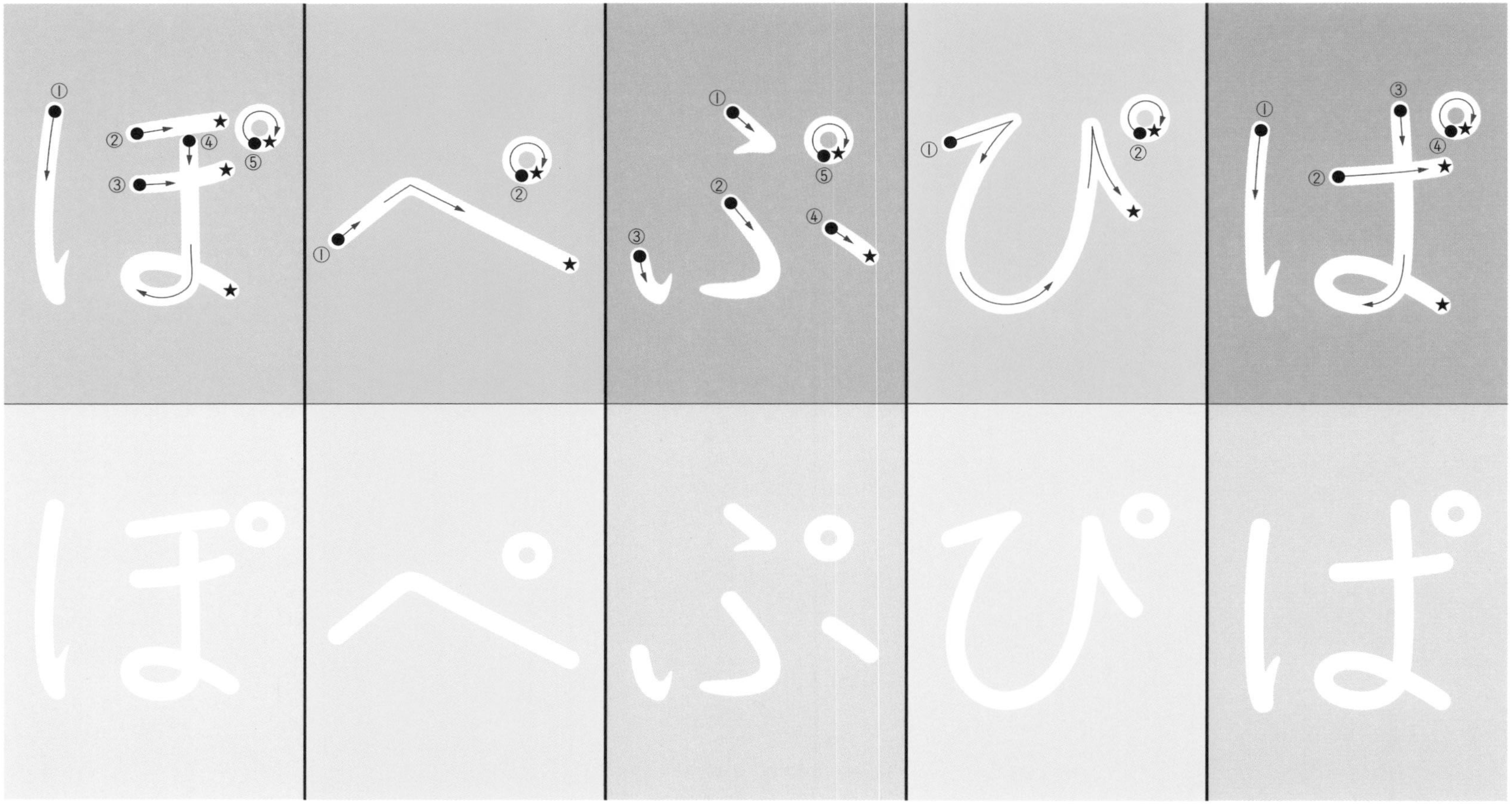

こえに だして よみながら、「ぱ」「ぴ」「ぷ」「ぺ」「ぽ」を かきましょう。

ぱ ぴ ぷ ぺ ぽ

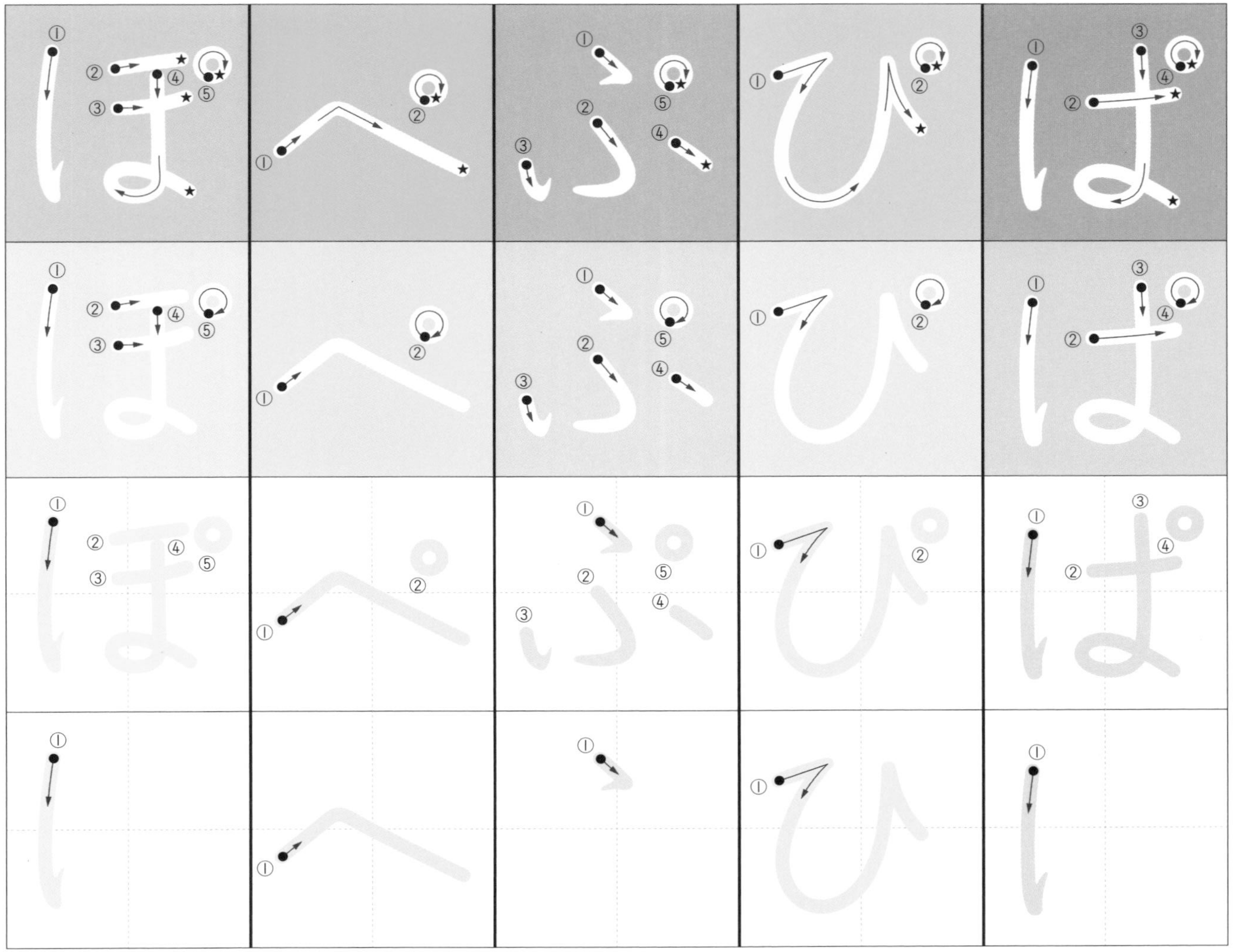

おてほんを みながら ひとりで かいて みましょう。

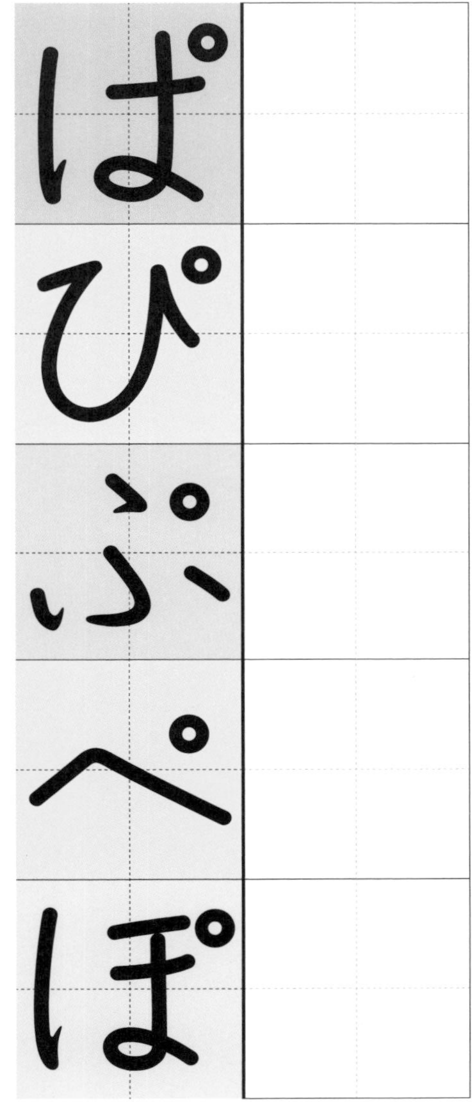

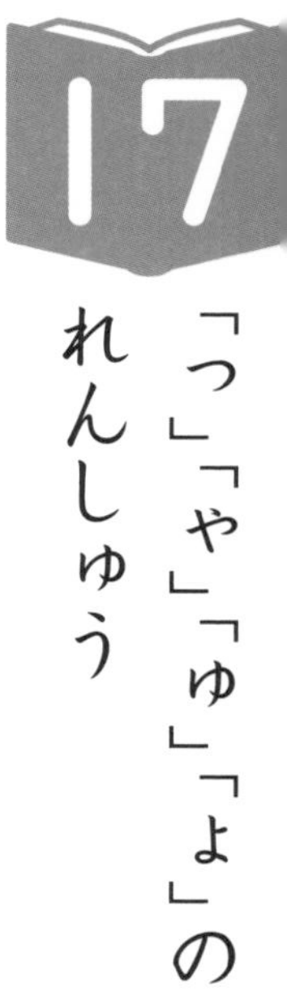

17 「っ」「ゃ」「ゅ」「ょ」の れんしゅう

がつ　にち　なまえ

おうちのかたへ

「きって」の「きっ」などの促音や「でんしゃ」の「しゃ」などの拗音を書くときの、小さい「っ」「ゃ」「ゅ」「ょ」の練習です。まず、ことばを声に出して読み、「ここは小さい『っ』ね」「『しゃ』は『し』に小さい『ゃ』ね」などと教えてあげてください。このあと、たくさんのことばのなかで練習していきますので、ここでは、大きさと位置に気をつけて書く練習ができればよいでしょう。

おおきさと かく ところに ちゅういして、ちいさい「っ」と「ゃ」を かきましょう。

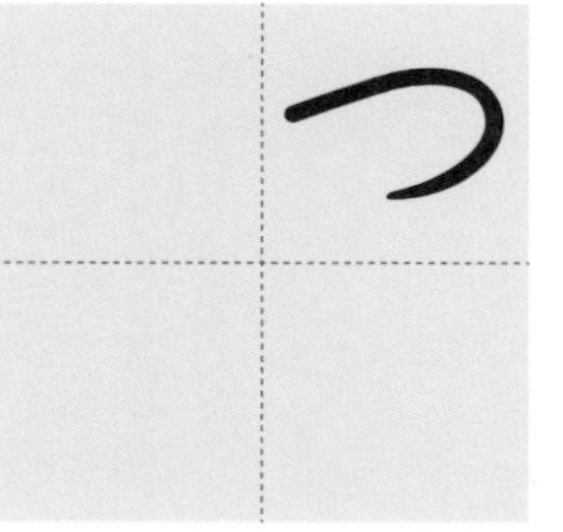

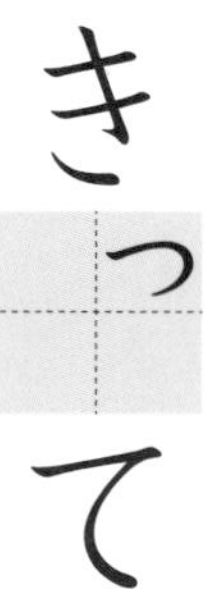

きって

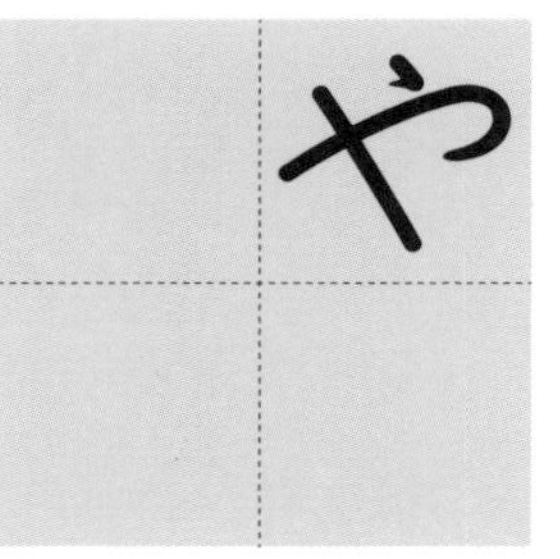

でんしゃ

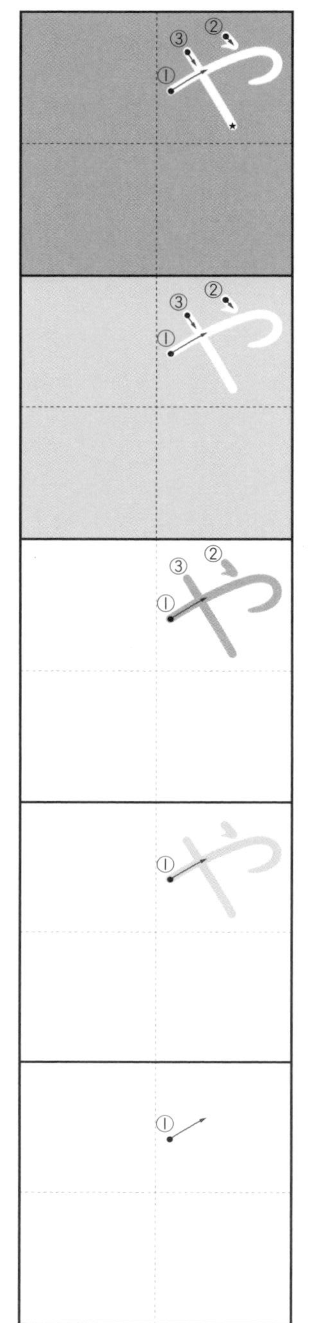

おおきさと かく ところに ちゅういして、ちいさい 「ゅ」と「ょ」を かきましょう。

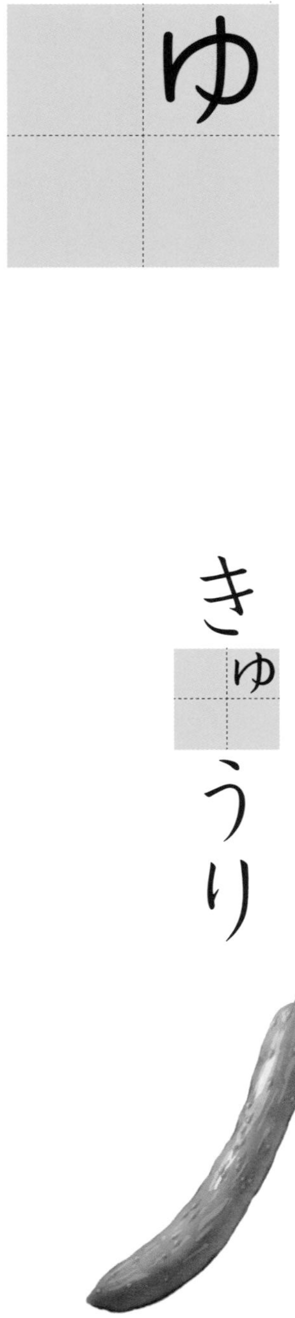

ゆ

きゅうり

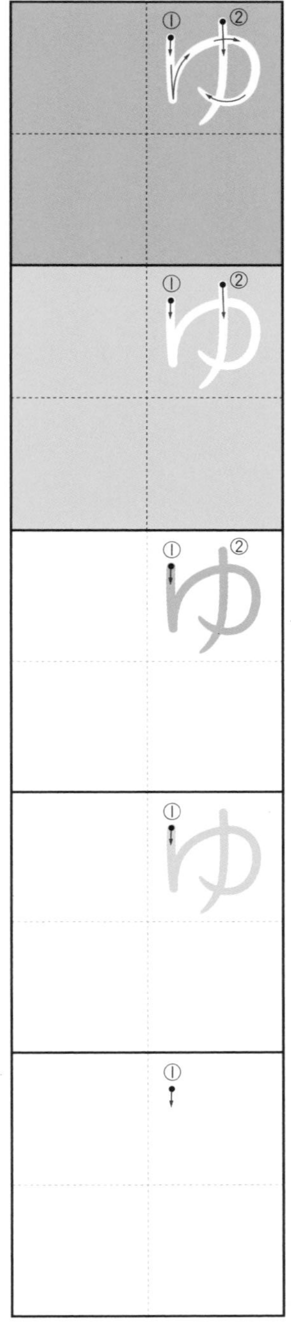

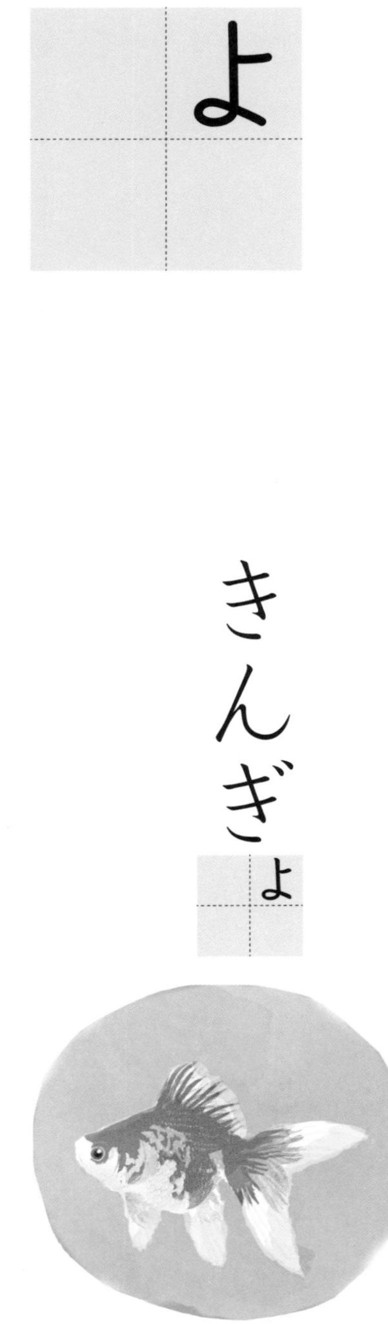

よ

きんぎょ

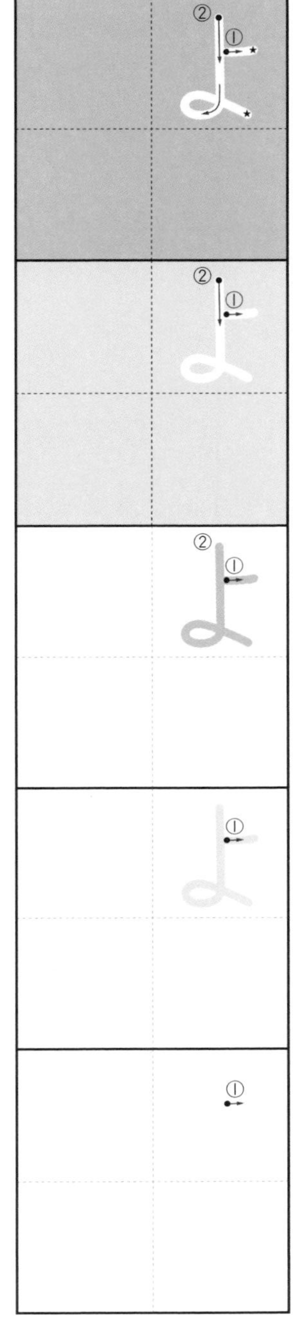

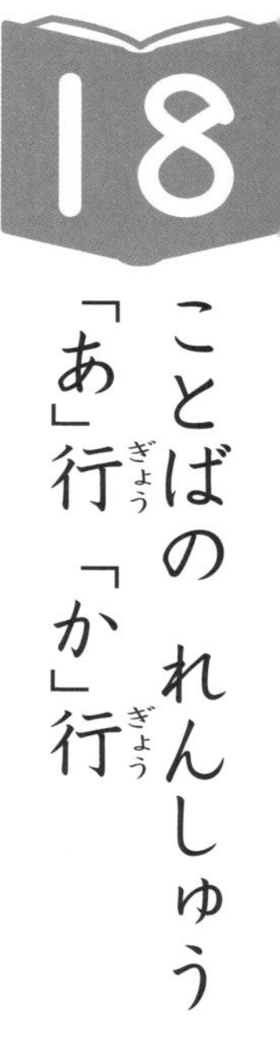

18 ことばの れんしゅう 「あ」行 「か」行

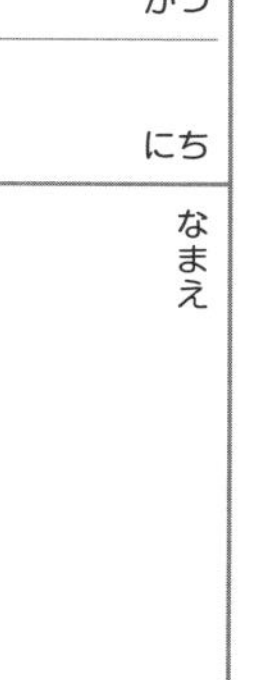

がつ　にち　なまえ

おうちのかたへ

ここまで練習したひらがなを、あ行から順にことばのなかで書いていきます。絵を見て、「あり」と声に出して読みながら、なぞれるとよいでしょう。書き順がわからなくて手が止まってしまうようでしたら、前に学習したページか、巻末の「おけいこボード」のお手本を指でなぞって、書き順を確認してから書いてもよいでしょう。

えを みて ことばを よみましょう。ひらがなを なぞりましょう。

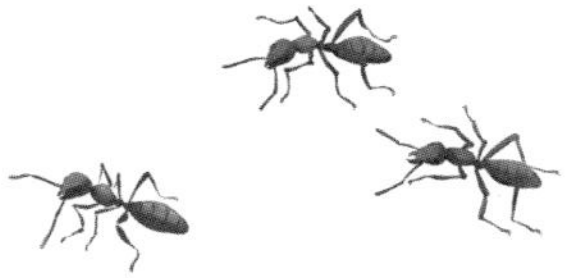

あり　あり

いぬ　いぬ

うし　うし

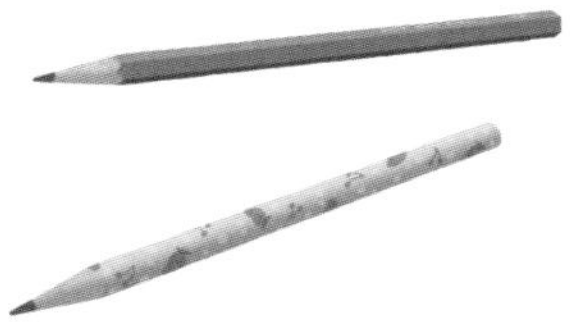

えんぴつ　えんぴつ

おにぎり　おにぎり

えを みて ことばを よみましょう。ひらがなを なぞりましょう。

19 ことばの れんしゅう 「さ」行「た」行

おうちのかたへ

「ことばのれんしゅう」(35ページ〜)以降は、小学校の教科書で使われる書体に近いひらがなをもちいて、なぞる練習をしていきます。より線が細くなっていますので、きれいになぞるのは難しいことです。最初はお手本どおりにならなくても、じょじょに、じょうずになぞる力がついていけばよいでしょう。

えを みて ことばを よみましょう。ひらがなを なぞりましょう。

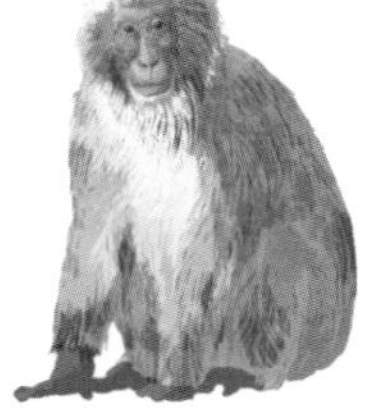

さる さる

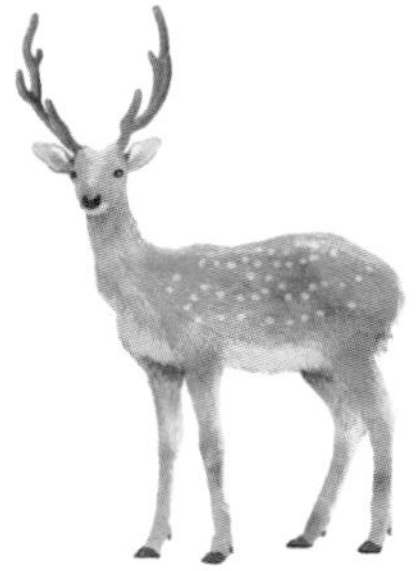

しか しか

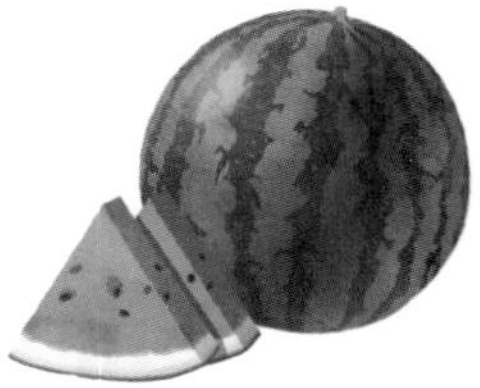

すいか すいか

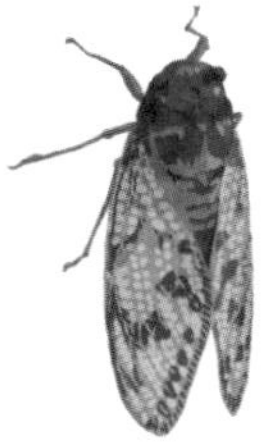

せみ せみ

そら そら

えを みて ことばを よみましょう。ひらがなを なぞりましょう。

たぬき たぬき

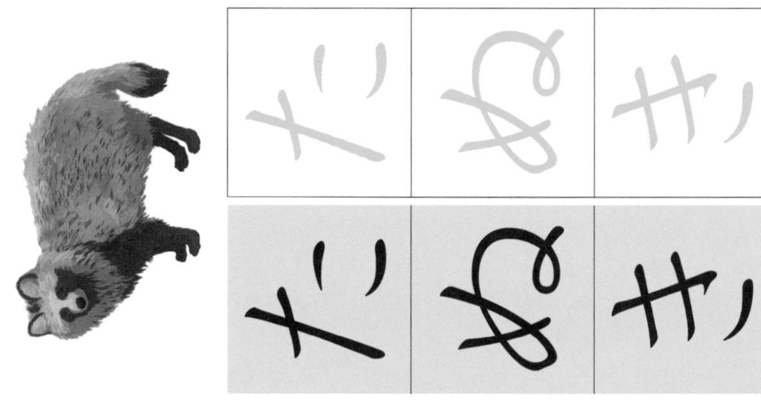

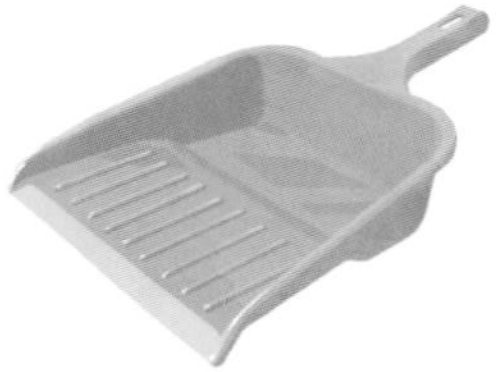

ちりとり ちりとり

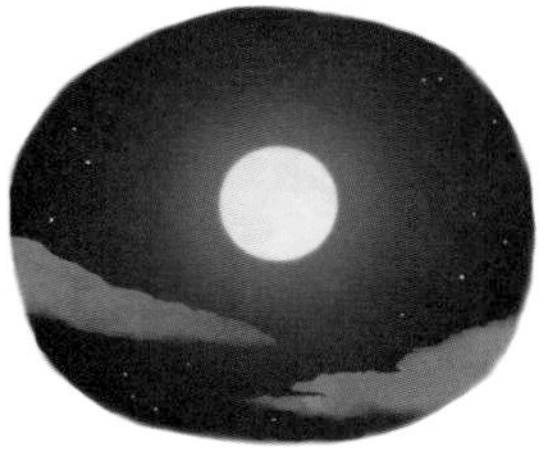

つき つき

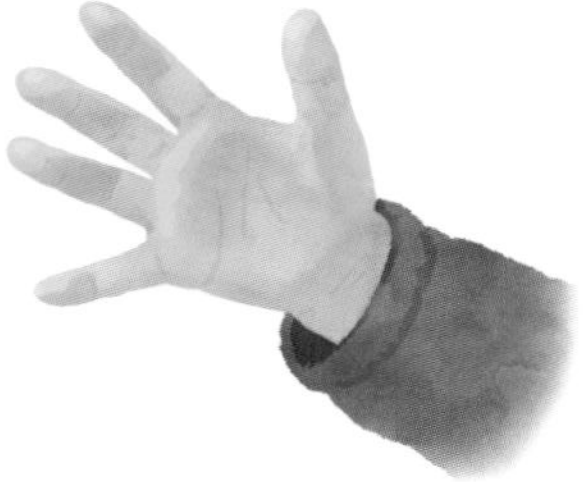

て て

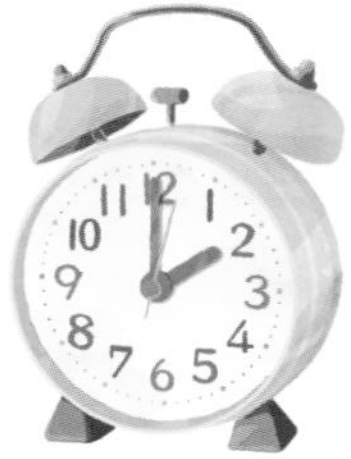

とけい とけい

20 ことばの れんしゅう 「な」行 「は」行

がつ にち なまえ

おうちのかたへ

くもんの幼児ドリルは、1日1枚(2ページ)または、2枚(4ページ)などと決めて、少しずつ進めることをおすすめしています。お子さまが「もう少しやりたいな」と思うくらいのところでおわるのが、継続のポイントです。また、やる気の出ない日は、無理にやらせず、楽しい気持ちで取り組むことを大切にしてあげてください。

えを みて ことばを よみましょう。ひらがなを なぞりましょう。

えを みて ことばを よみましょう。ひらがなを なぞりましょう。

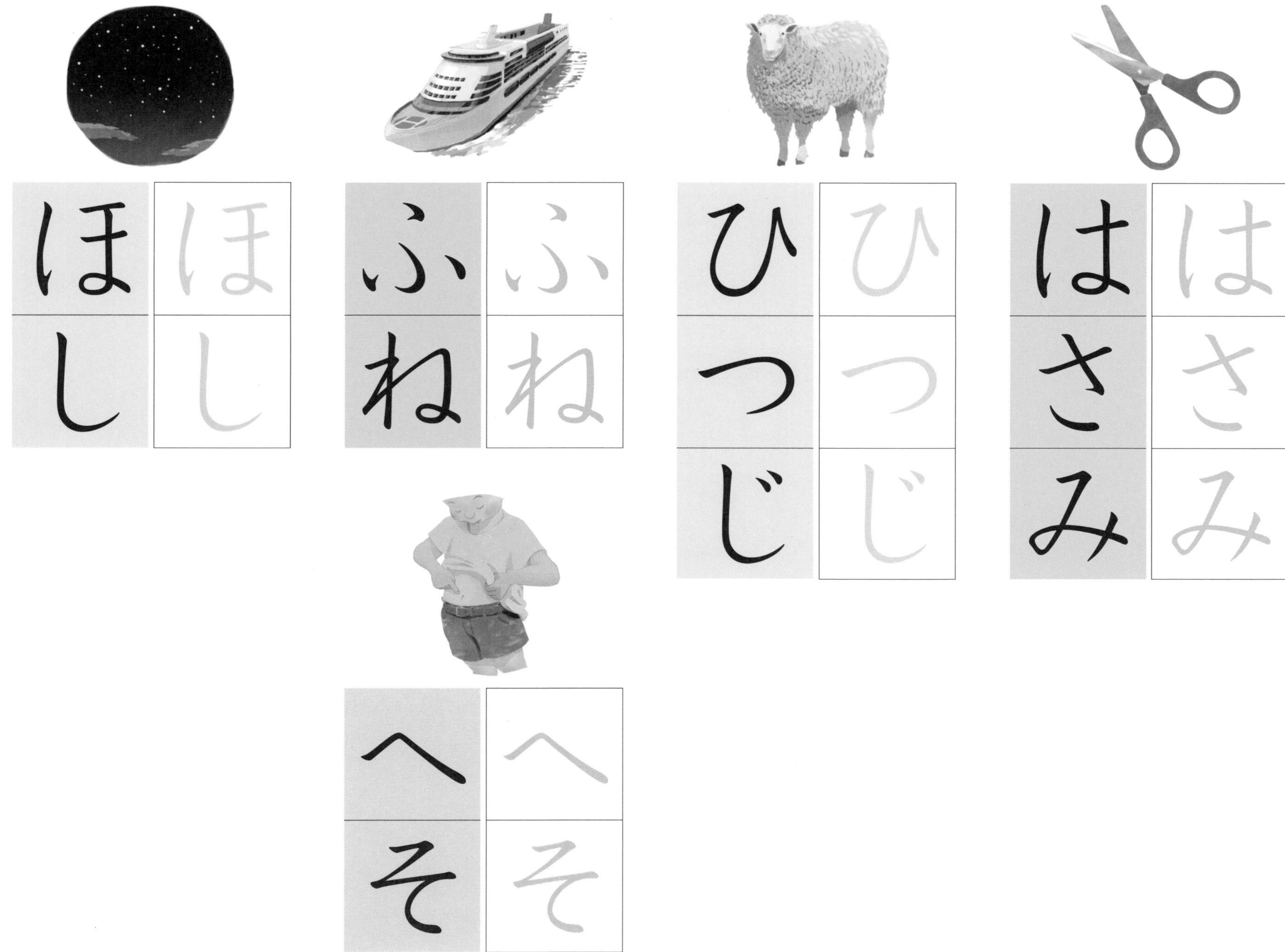

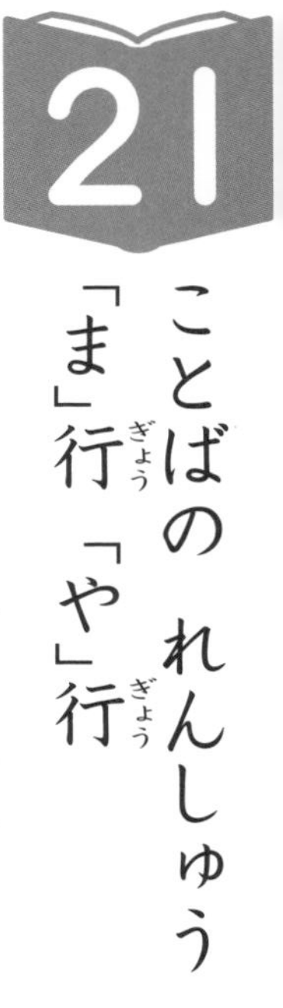

21 ことばの れんしゅう 「ま」行「や」行

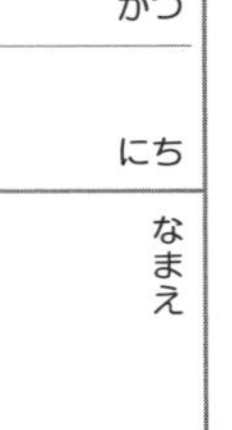

がつ にち なまえ

おうちのかたへ
このドリルの学習も半分をすぎました。お子さまのペースで、後半も進めていきましょう。学習を習慣づけるには、「できたね！シール」や巻末の表彰状を目標にしたり、「お誕生日までにおわるようにがんばろうか」「夏休みにここまでやろうね」など、少し先の目標をお子さまと話し合ったりするのもよいでしょう。

えを みて ことばを よみましょう。ひらがなを なぞりましょう。

まくら まくら

みかん みかん

むしめがね むしめがね

めだか めだか

えを みて ことばを よみましょう。ひらがなを なぞりましょう。

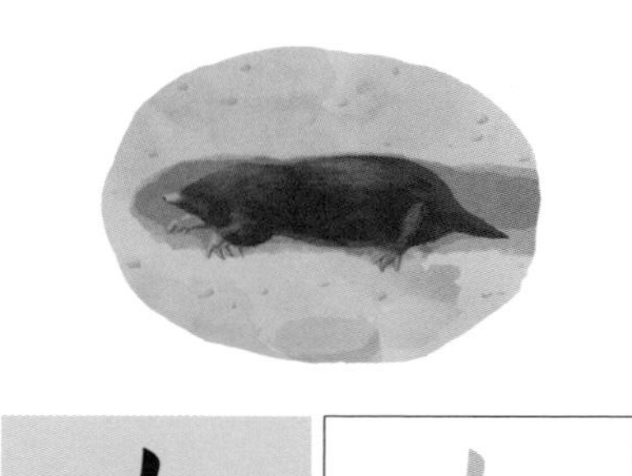
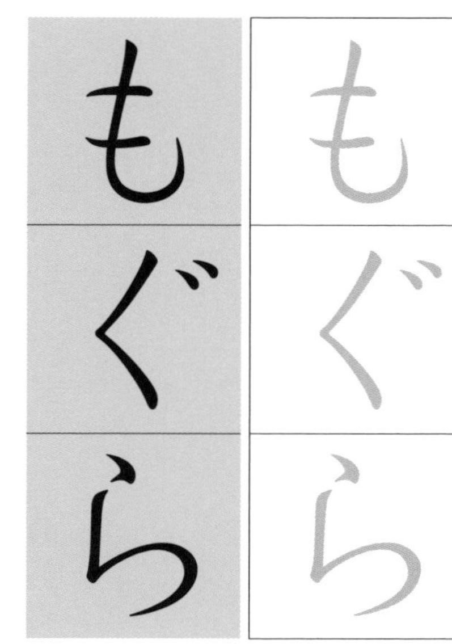

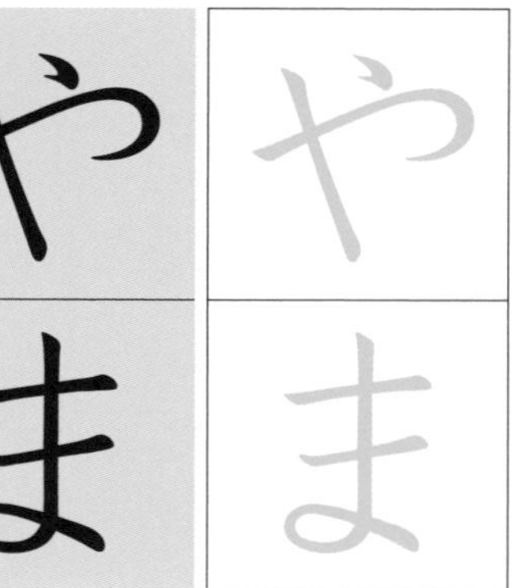

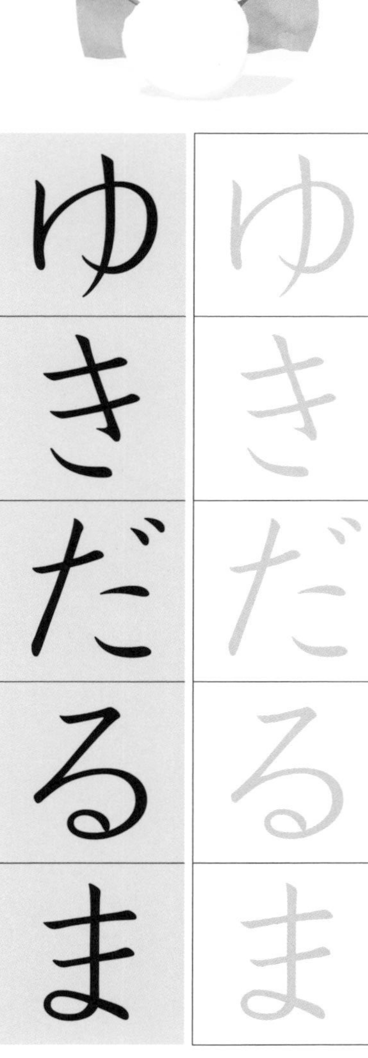

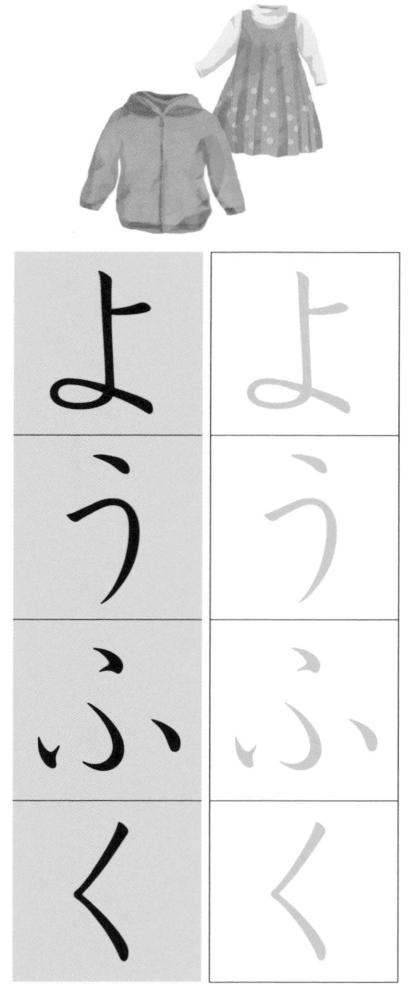

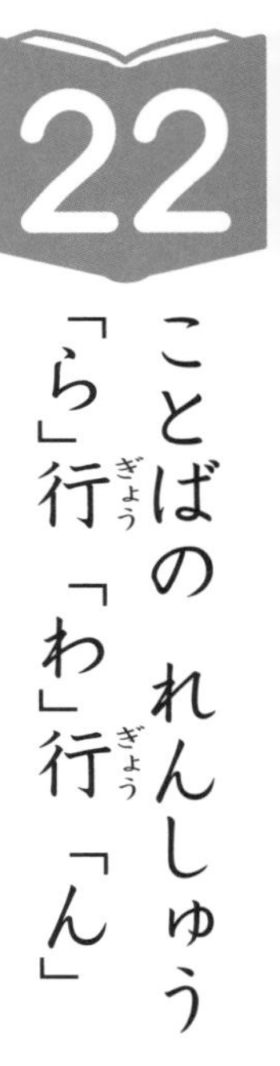

22 ことばの れんしゅう 「ら」行「わ」行「ん」

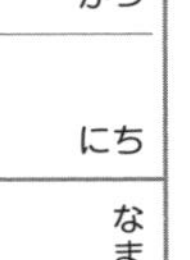

がつ にち なまえ

おうちのかたへ

「らくだ」「りす」と元気よく声に出して読みながら書けるとよいでしょう。「この『りす』は何を食べているのかな」「この『ほん』はなんの本かな」など、絵についてお話をしてあげるのも、ことばをイメージしながら楽しく学習を進めるよい方法です。

えを みて ことばを よみましょう。ひらがなを なぞりましょう。

らくだ らくだ

りす りす

かえる かえる

れんこん れんこん

えを　みて　ことばや　ぶんを　よみましょう。
ひらがなを　なぞりましょう。

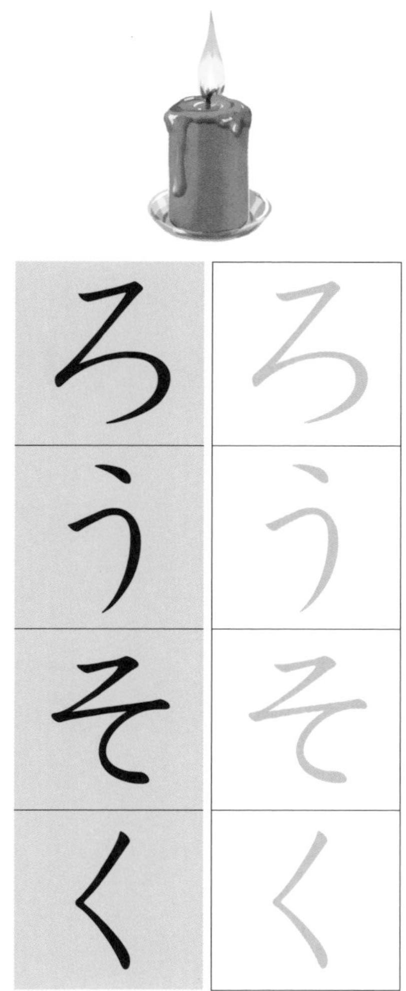

ろうそく　ろうそく

わに　わに

えを　かく　えを　かく

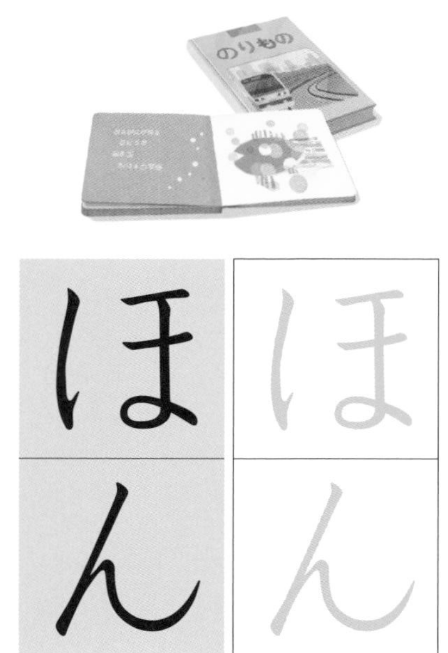

ほん　ほん

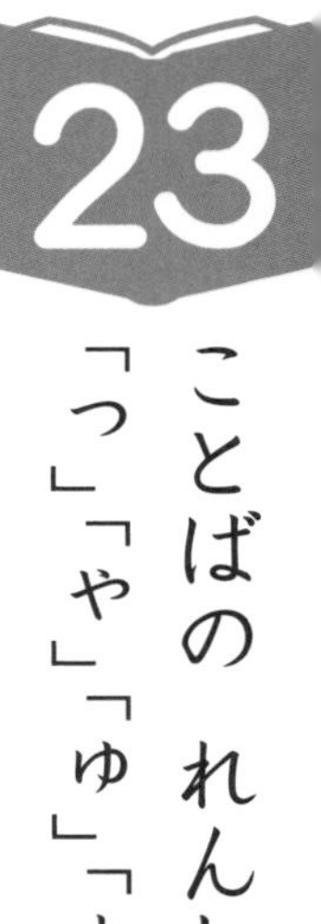

23 ことばの れんしゅう 「っ」「ゃ」「ゅ」「ょ」

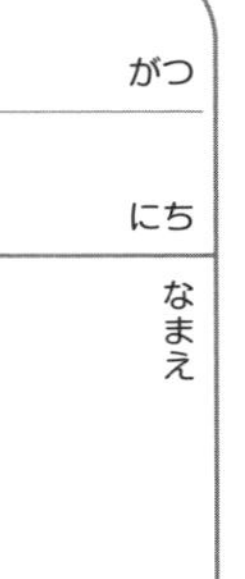

がつ　にち　なまえ

おうちのかたへ
促音や拗音をふくむことばを書く練習です。おうちのかたといっしょに「きって」「ばった」と声に出して読みながら書きましょう。促音や拗音の使い方を身につけることは、お子さまにとってたいへん難しいことです。たくさんのことばを読み書きするなかで、少しずつ練習していきましょう。

えを みて ことばを よみましょう。ひらがなを なぞりましょう。

きって　きって

ばった　ばった

でんしゃ　でんしゃ

かぼちゃ　かぼちゃ

えを みて ことばを よみましょう。ひらがなを なぞりましょう。

きゅうり　きゅうり

ぎゅうにゅう　ぎゅうにゅう

きんぎょ　きんぎょ

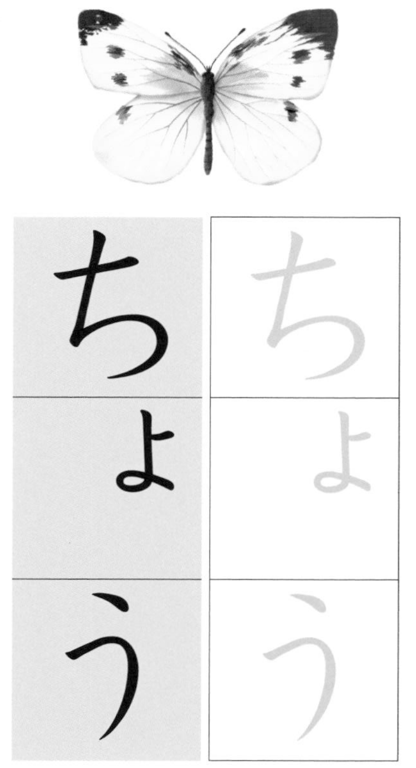

ちょう　ちょう

24 ひらがなの ひょう②

がつ	にち	なまえ

おうちのかたへ

濁音・半濁音をふくむひらがなを、表のなかで書いて、ここまでの復習をします。1枚で書くひらがなの量が多くなっていますので、励ましながら進め、書きおわったら、お子さまのがんばりをおおいにほめてあげましょう。ひらがなの表をお子さまの目にふれるところにはり、いっしょに読んであげるなど、ふだんから親しめるとよいでしょう。

ひらがなを なぞって ひょうを つくりましょう。

あ	か	さ	た	な	は	ま
い	き	し	ち	に	ひ	み
う	く	す	つ	ぬ	ふ	む
え	け	せ	て	ね	へ	め
お	こ	そ	と	の	ほ	も

ひらがなを なぞって ひょうを つくりましょう。

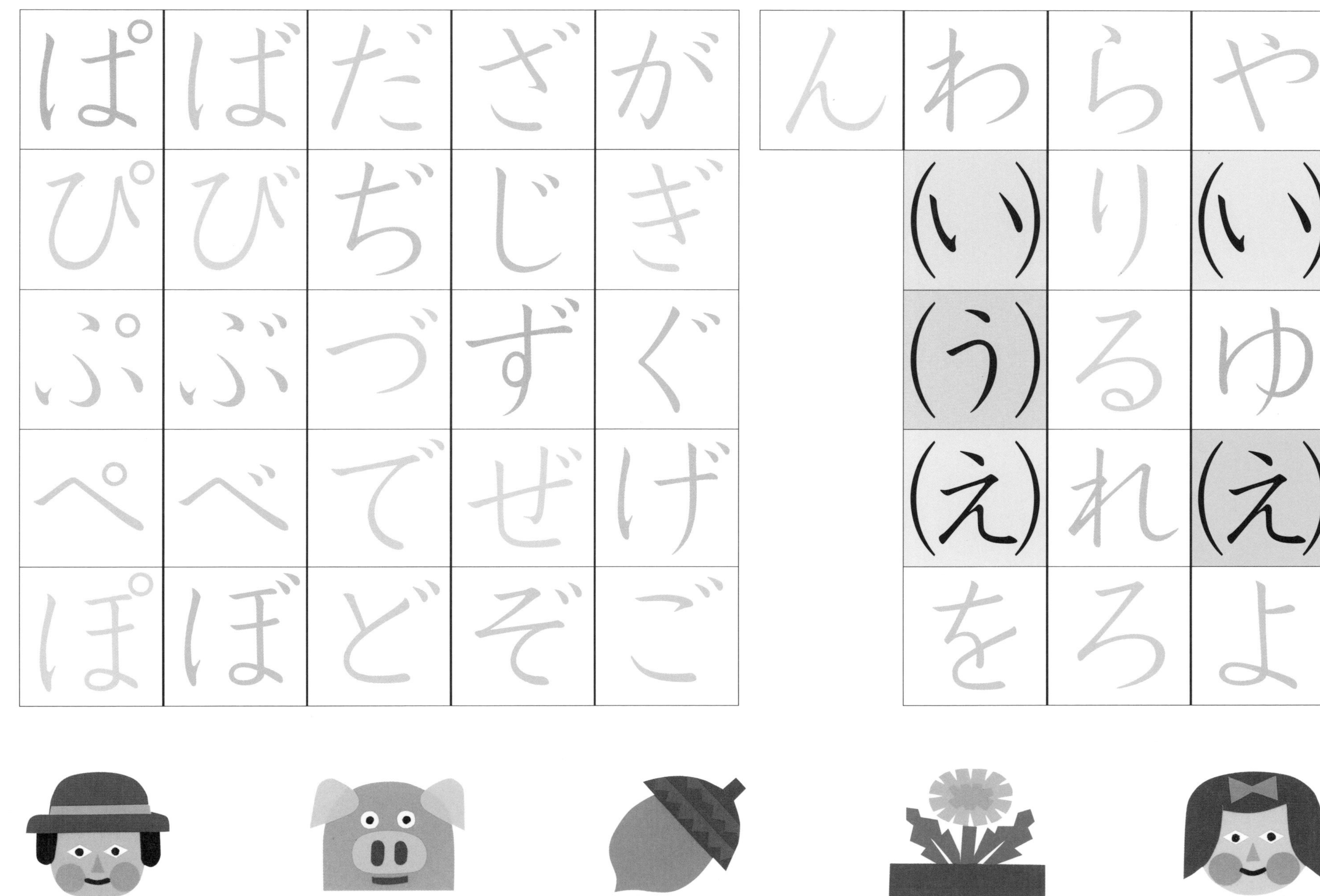

や	ら	わ	ん
(い)	り	(い)	
ゆ	る	(う)	
(え)	れ	(え)	
よ	ろ	を	

が	ざ	だ	ば	ぱ
ぎ	じ	ぢ	び	ぴ
ぐ	ず	づ	ぶ	ぷ
げ	ぜ	で	べ	ぺ
ご	ぞ	ど	ぼ	ぽ

25 いろいろな ことばの れんしゅう①

がつ　にち　なまえ

おうちのかたへ
ここからは、身近なことばを動物、鳥などの仲間ごとにまとめて、なぞる練習をしていきます。絵を見て「ぞう」と元気よく声に出して読みながらなぞれるとよいでしょう。たくさんのことばを書くことで、お子さまのことばの世界を広げながら、ひらがなの読み書きを定着させていきます。

えを みて ひらがなを なぞりましょう。
こえに だして ことばを よみましょう。

どうぶつ

ぞう

しまうま

きつね

おおかみ

かば

えを みて ひらがなを なぞりましょう。
こえに だして ことばを よみましょう。

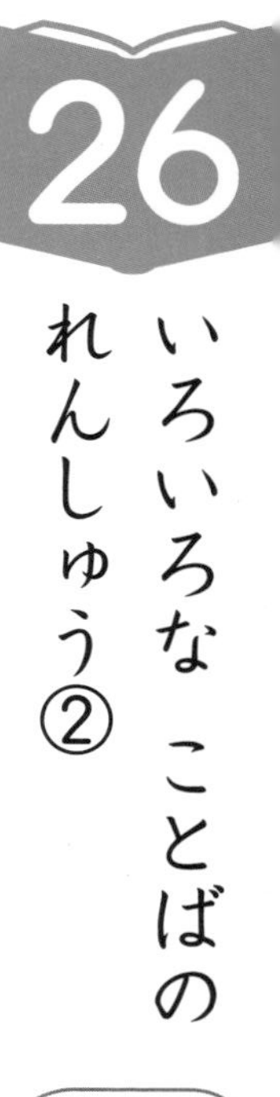

26 いろいろな ことばの れんしゅう②

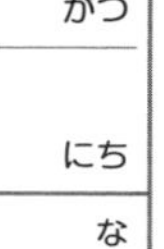

がつ　にち　なまえ

おうちのかたへ

知らないことばがあってお子さまがとまどっているようでしたら、おうちのかたが教えてあげてください。いっしょに図鑑や絵辞典をひらいて、調べてみるのもよいでしょう。知らなかったものは、お出かけ先や、絵本のなかで見かけたときに、また声をかけてあげるなど、楽しくお子さまのことばの世界を広げてあげてください。

えを みて ひらがなを なぞりましょう。
こえに だして ことばを よみましょう。

いるか

くじら

あざらし

おっとせい

こうもり

へび

えを みて ひらがなを なぞりましょう。
こえに だして ことばを よみましょう。

とり

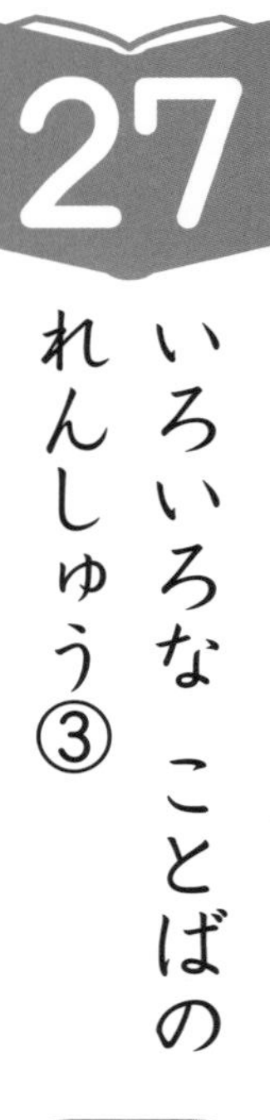

27 いろいろな ことばの れんしゅう③

がつ　にち　なまえ

おうちのかたへ
おもて面は魚、うら面は「みずのいきもの」として水辺や水のなかにすむ生きものをあつめています。なぞるとき に書き順をまちがえているようでしたら、「書き順を思い出してみようか」と声をかけ、巻末の「おけいこボード」などを指でなぞってみるのもよいでしょう。

えを　みて　ひらがなを　なぞりましょう。
こえに　だして　ことばを　よみましょう。

さかな

ふぐ

まぐろ

めだか

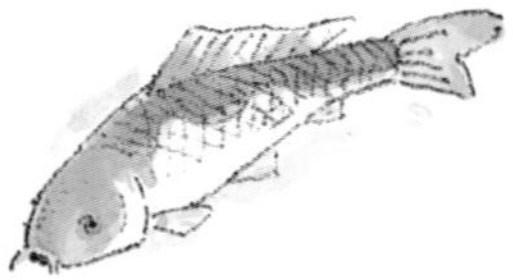

こい

きんぎょ

えを みて ひらがなを なぞりましょう。
こえに だして ことばを よみましょう。

みずの いきもの

いか

たこ

くらげ

かに

えび

ざりがに

やどかり

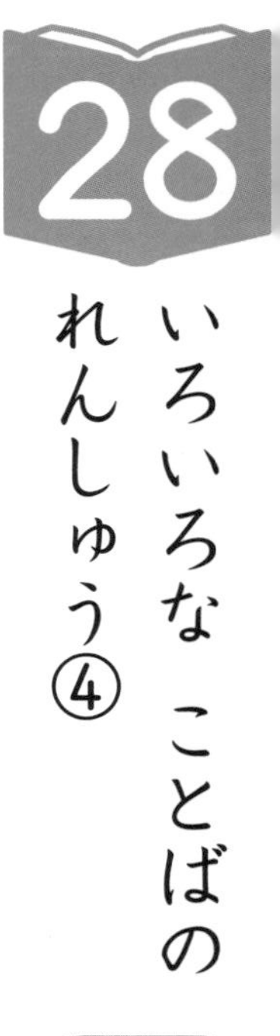

28 いろいろな ことばの れんしゅう④

がつ　にち　なまえ

おうちのかたへ
いろいろな虫や、花の名前を書きます。「かぶとむしをつかまえたね」「○○ちゃんはどの花がすきかな」など、お子さまとお話をしながら、楽しい気持ちで書けるようにみちびいてあげるとよいでしょう。

えを みて ひらがなを なぞりましょう。
こえに だして ことばを よみましょう。

むし

ほたる

てんとうむし

かぶとむし

ばった

とんぼ

えを みて ひらがなを なぞりましょう。
こえに だして ことばを よみましょう。

はな

あじさい

あさがお

すみれ

ひまわり

ばら

きく

29 いろいろな ことばの れんしゅう⑤

がつ　にち　なまえ

おうちのかたへ
ここからの２枚（４ページ）で、野菜や果物の名前を書きます。絵を見て「にんじん」「だいこん」と声に出して読みながら書きましょう。絵を見てことばを思いうかべ、「に、ん、じ、ん」と声に出しながら、くり返し書くことで、お子さまはひらがなを自然に身につけていきます。

えを みて ひらがなを なぞりましょう。
こえに だして ことばを よみましょう。

やさい

くだもの

にんじん

だいこん

ほうれんそう

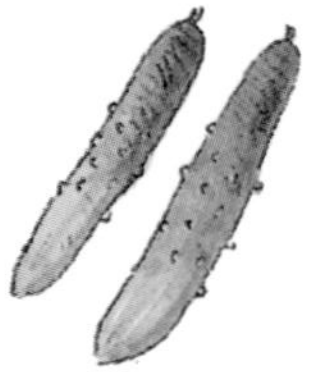

きゅうり

えを みて ひらがなを なぞりましょう。
こえに だして ことばを よみましょう。

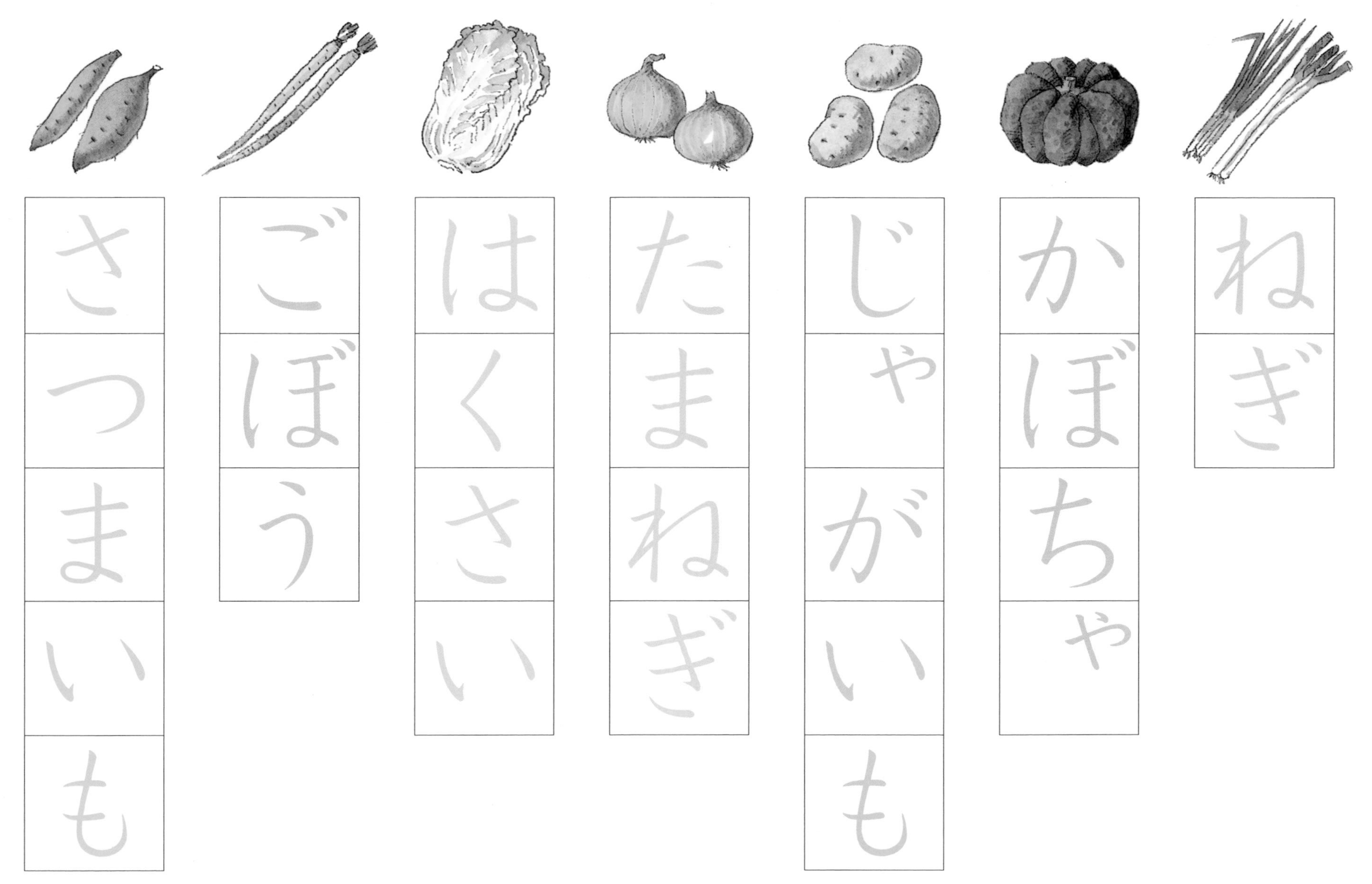

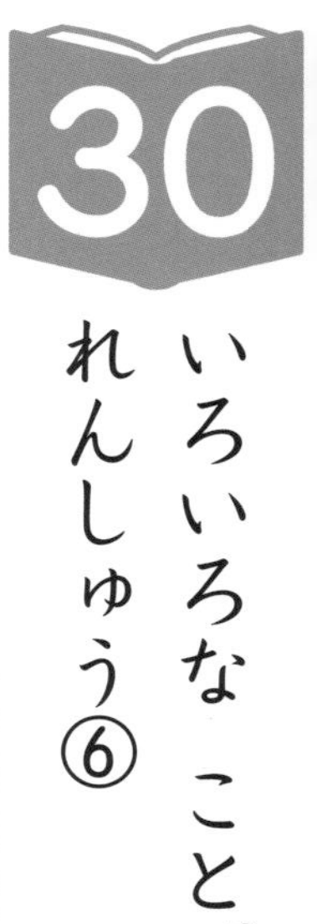

30 いろいろな ことばの れんしゅう⑥

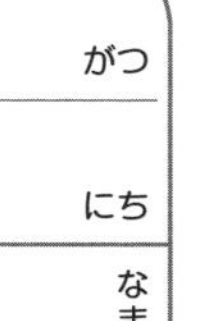

がつ　にち　なまえ

おうちのかたへ
くもんの幼児ドリルの紙は、書きやすく、くり返しの練習にもたえるじょうぶな紙質のものを選んでいます。お子さまが、練習をもっとしたいというときは、消しゴムで消してもう一度チャレンジしたり、色のちがう色鉛筆で、一度なぞったところをもう一度なぞってみるのも、よい方法です。

えを　みて　ひらがなを　なぞりましょう。
こえに　だして　ことばを　よみましょう。

れんこん

たけのこ

えだまめ

かぶ

とうもろこし

しいたけ

えを みて ひらがなを なぞりましょう。
こえに だして ことばを よみましょう。

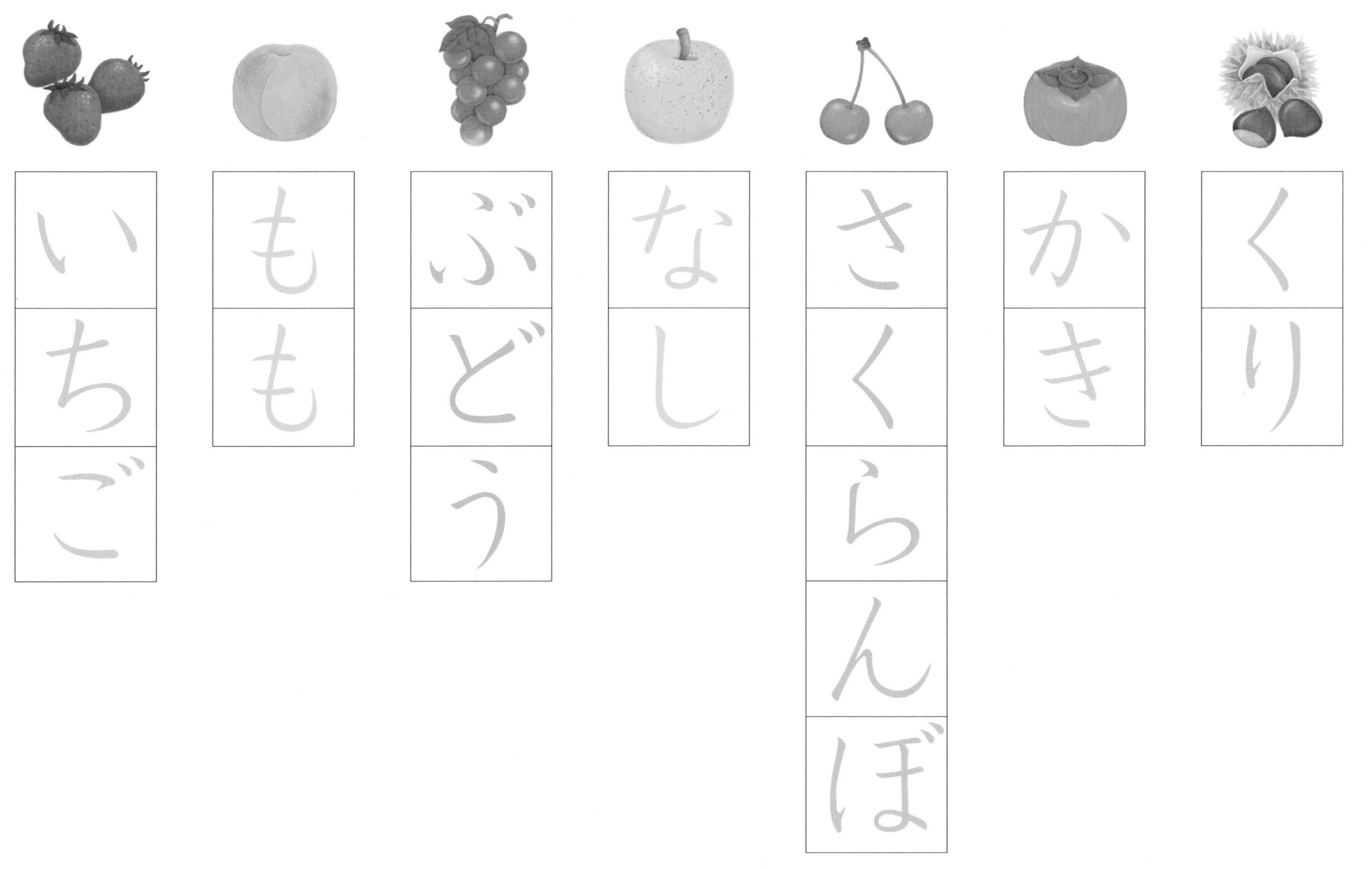

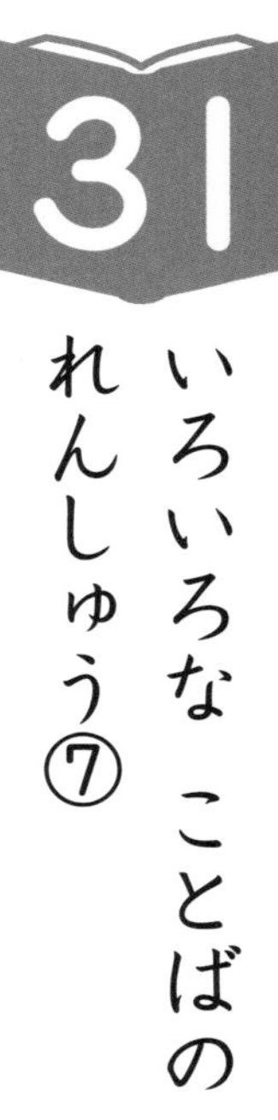

31 いろいろな ことばの れんしゅう⑦

がつ　にち　なまえ

おうちのかたへ
家のなかにある、身近なものの名前を書きます。なぞる練習が続きますが、ことばをなぞる練習を十分にしておくことで、次の段階の、自力でひらがなを書く練習にらくに入っていくことができます。楽しくいろいろなことばをなぞりながら、字の形を覚えていきましょう。

えを　みて　ひらがなを　なぞりましょう。
こえに　だして　ことばを　よみましょう。

いえの　なか

いす

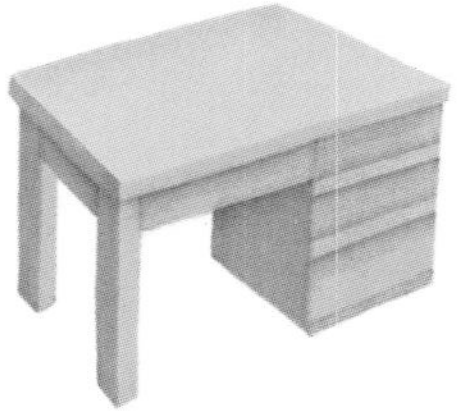

つくえ

せんたくき

れいぞうこ

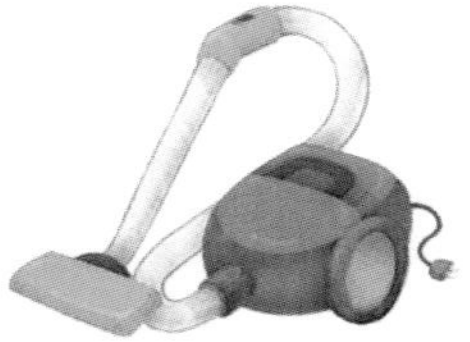

そうじき

えを みて ひらがなを なぞりましょう。
こえに だして ことばを よみましょう。

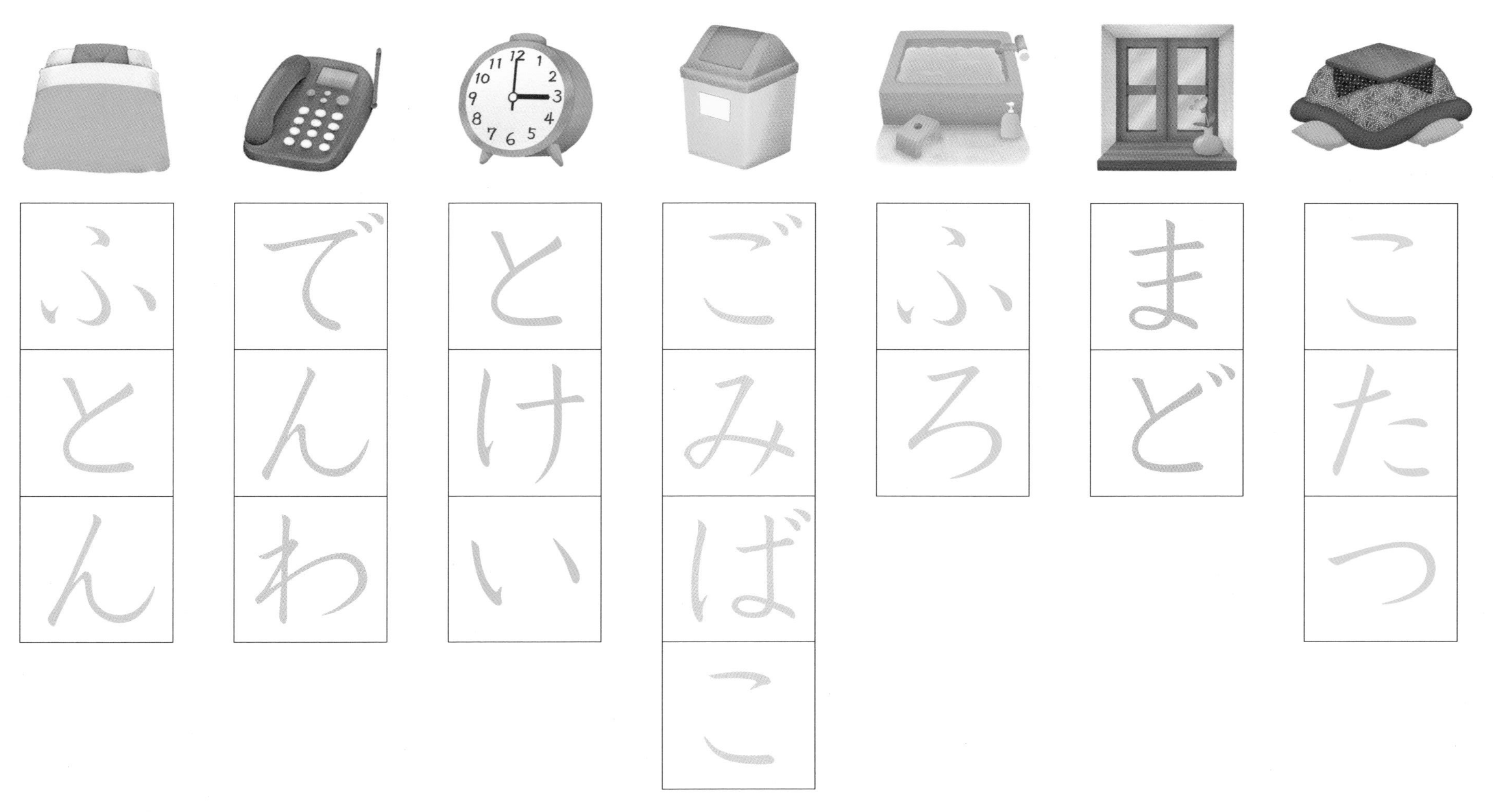

32 いろいろな ことばの れんしゅう⑧

がつ　にち　なまえ

おうちのかたへ

読み書きできるひらがながふえてくると、身のまわりで見かけたひらがなを読んだり、手紙を書いたりすることも出てくるでしょう。お子さまが、自分からひらがなを読んだり、書いたりしているのを見かけたら、おおいにほめてあげましょう。おうちのかたのほめことばが、ひらがなの学習を続ける原動力になります。

えを みて ひらがなを なぞりましょう。
こえに だして ことばを よみましょう。

ようふく

くつした

かばん

くつ

ぼうし

ながぐつ

えを みて ひらがなを なぞりましょう。
こえに だして ことばを よみましょう。

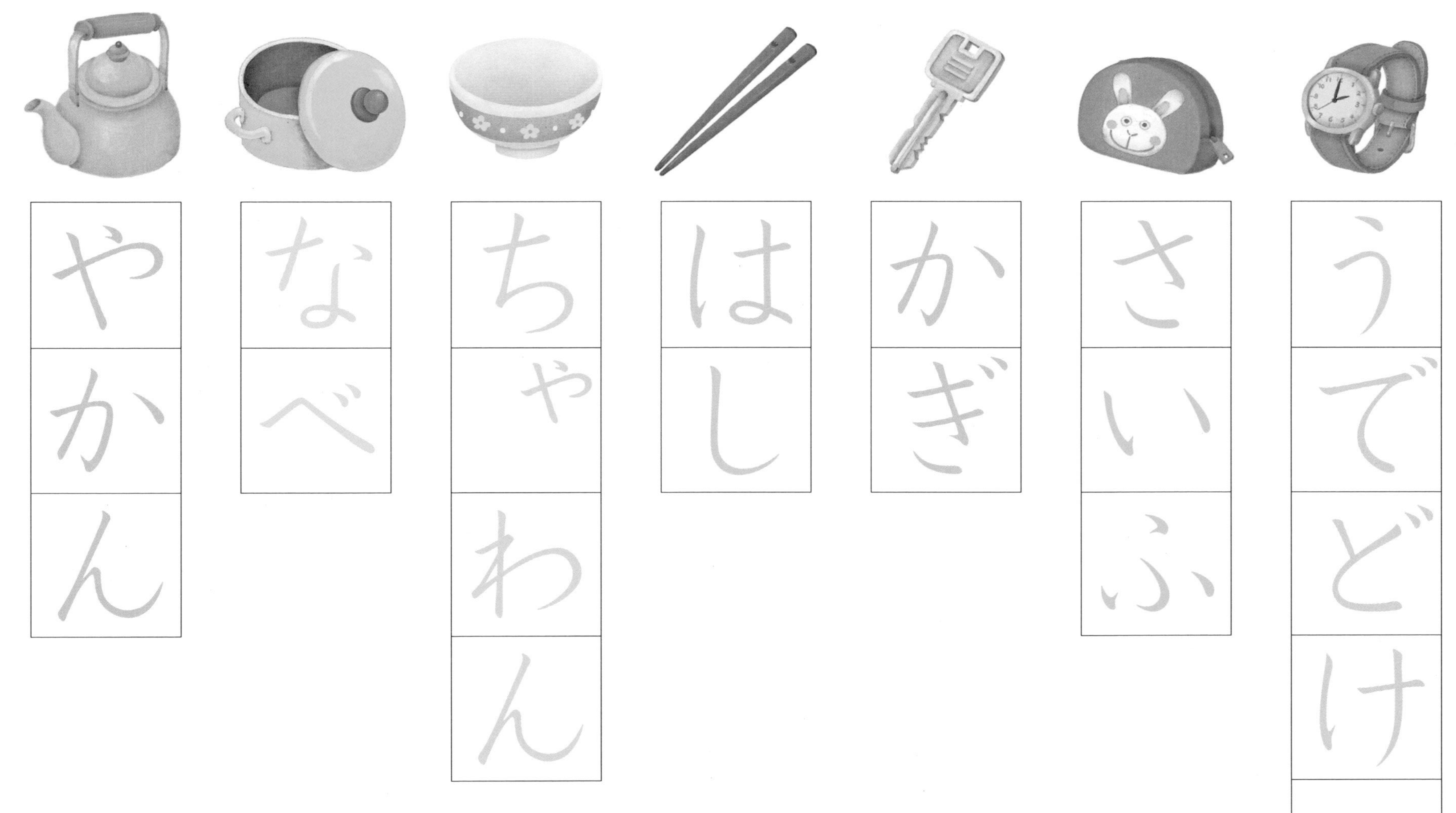

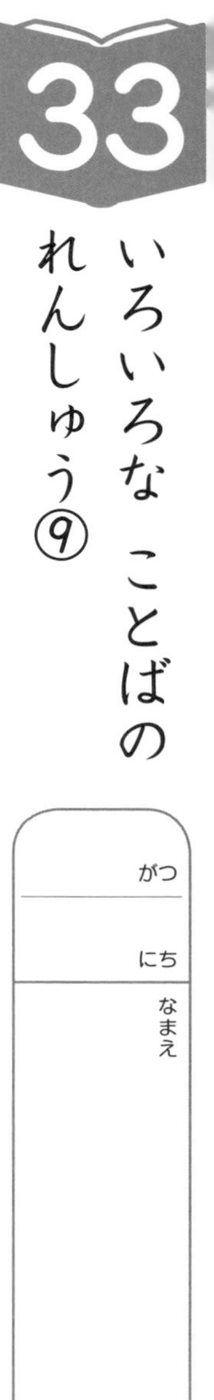

33 いろいろな ことばの れんしゅう⑨

がつ　にち　なまえ

おうちのかたへ
図鑑や絵辞典、絵本、カード、童謡などに親しむことも、お子さまのことばの世界を豊かにするのにおおいに役に立ちます。文字の練習とともに、ふだんから多くのことばにふれさせてあげてください。

えを みて ひらがなを なぞりましょう。
こえに だして ことばを よみましょう。

こども

おとな

おとこ

おんな

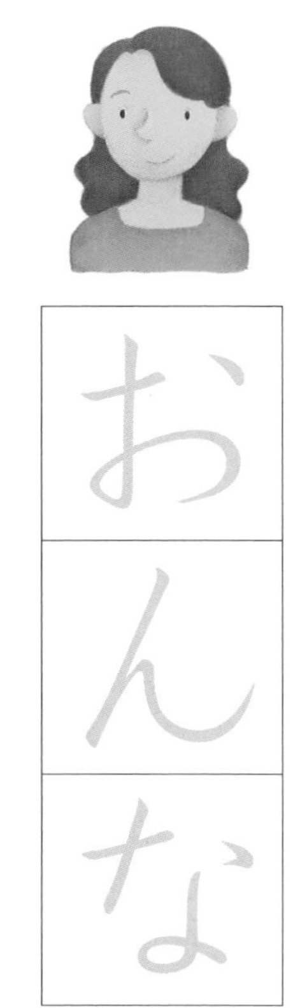

あし

ゆび

えを みて ひらがなを なぞりましょう。
こえに だして ことばを よみましょう。

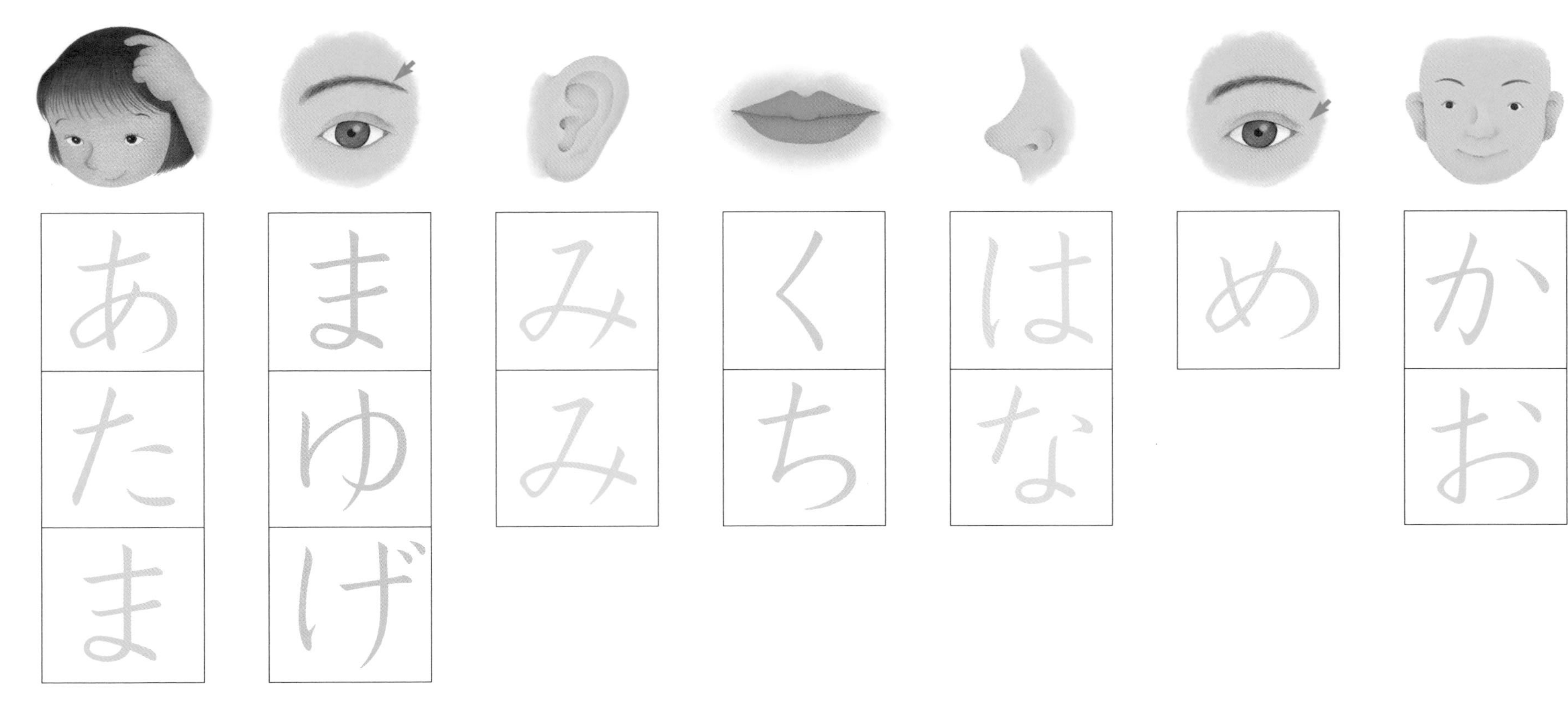

34 いろいろな ことばの れんしゅう⑩

がつ　にち　なまえ

おうちのかたへ
公園にあるものの名前を書きます。公園で遊んだ日のことを思い出しながら、楽しく書きましょう。「さんりんしゃ」「じてんしゃ」など、お子さまにとって読むのが難しいことばがありましたら、おうちのかたがいっしょに読んであげてください。

えを みて ひらがなを なぞりましょう。
こえに だして ことばを よみましょう。

こうえん

ふんすい

すべりだい

てつぼう

すなば

ぶらんこ

えを みて ひらがなを なぞりましょう。
こえに だして ことばを よみましょう。

35 いろいろな ことばの れんしゅう⑪

がつ　にち　なまえ

おうちのかたへ
街のなかにあるものの名前を書きます。お出かけした日のことを思い出しながら、楽しく書きましょう。「びょういん」「どうぶつえん」など、お子さまにとって読むのが難しいことばがありましたら、おうちのかたがいっしょに読んであげてください。

えを みて ひらがなを なぞりましょう。
こえに だして ことばを よみましょう。

まちの

なか

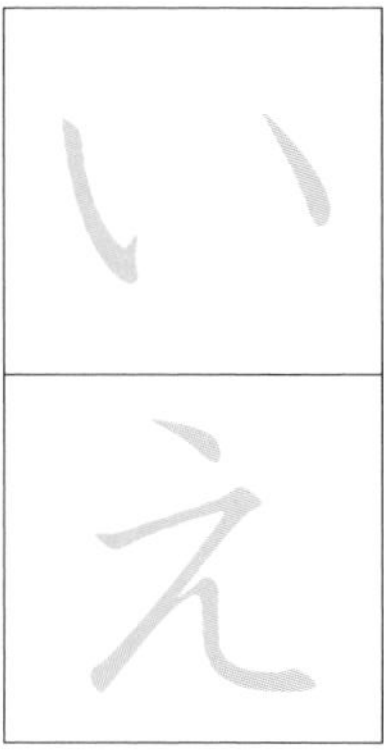
いえ

びょういん

どうぶつえん

すいぞくかん

ゆうえんち

えを みて ひらがなを なぞりましょう。
こえに だして ことばを よみましょう。

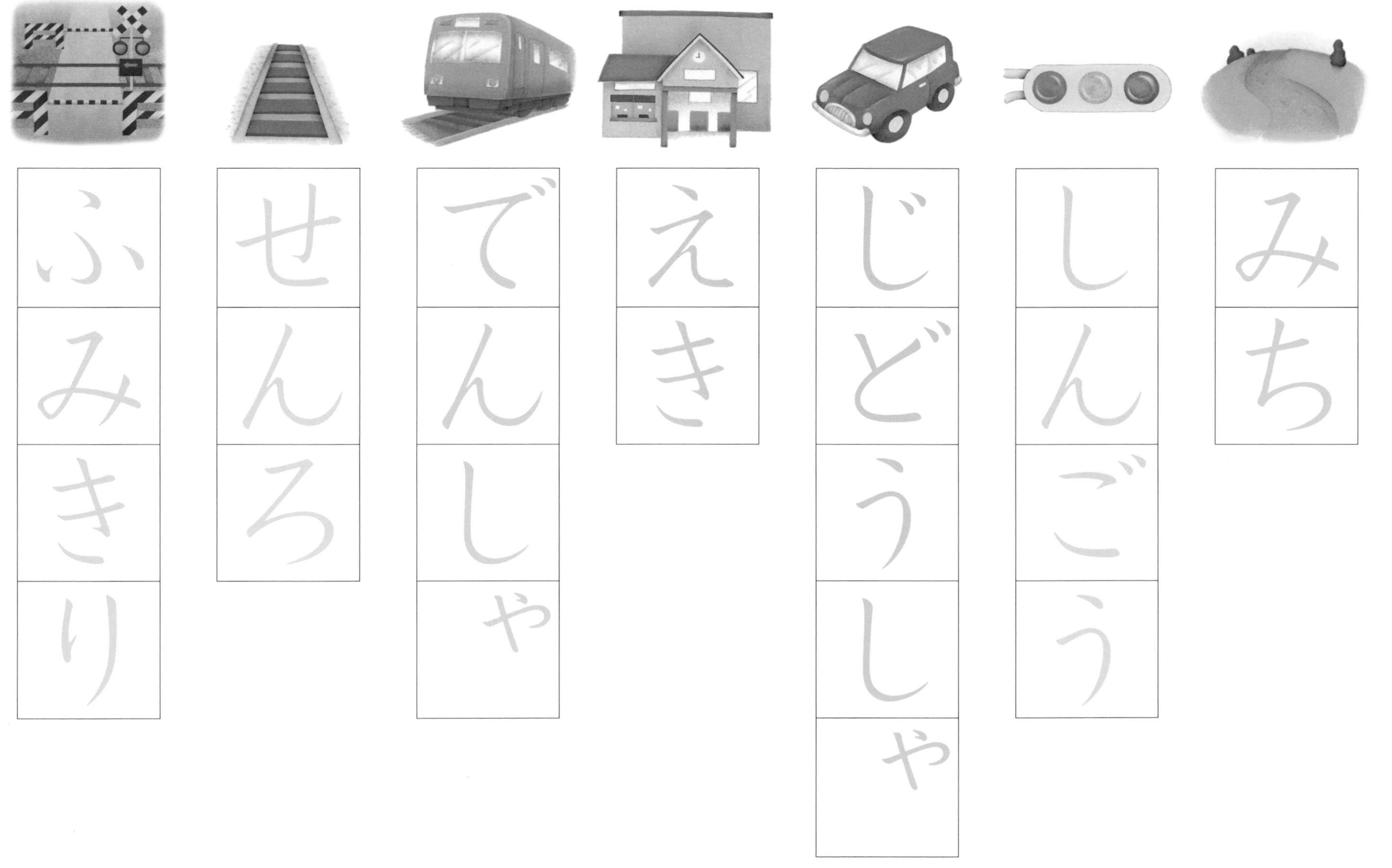

36 しりとり①

おうちのかたへ
ここまでに出てきたことばなどを使って、しりとりをしましょう。しりとりのやり方がわからない場合は、最初はおうちのかたが教えてあげてください。しりとり遊びは、覚えたことばを楽しく復習するのに役立ちます。

しりとりを しながら、ひらがなを なぞりましょう。（かきましょう。）

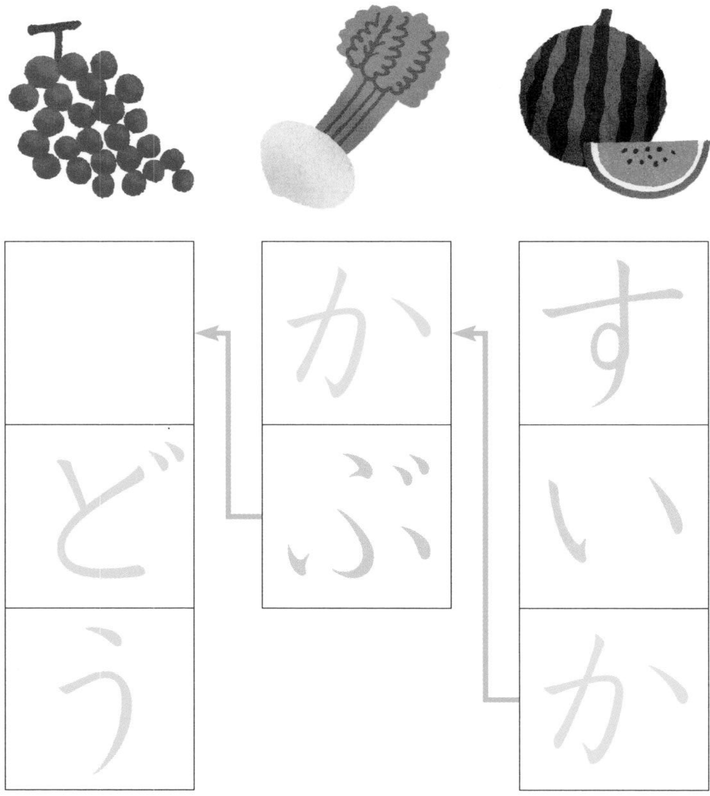

 しりとりを しながら、ひらがなを なぞりましょう。(かきましょう。)

あさがお	→	おっとせい	→	いか	→	き	→	く	→	らげ

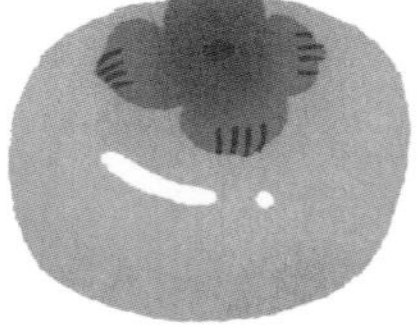

37 しりとり②

がつ　にち　なまえ

おうちのかたへ
白いマスは、ひとつ前のことばのなかで書いた文字をお手本にして書くよう、声をかけてあげてください。難しいようでしたら、おうちのかたが先にうすく線を書いてなぞらせたり、横にお手本を書いてあげたりするとよいでしょう。

しりとりを　しながら、ひらがなを　なぞりましょう。（かきましょう。）

しりとりを　しながら、ひらがなを　なぞりましょう。（かきましょう。）

そうじき  → □つね  → □こ 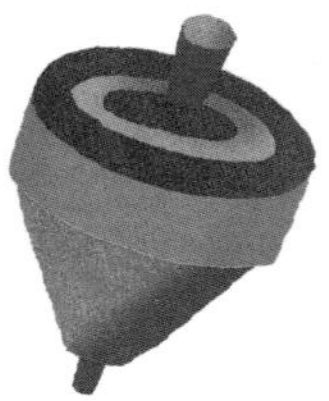 → □ま 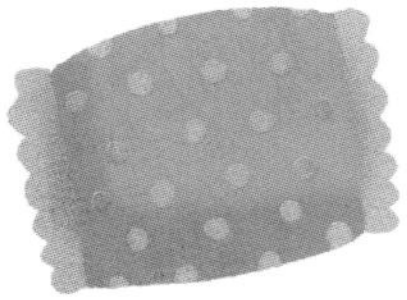 → □くら  → □くだ

38 ことばあそび

おうちのかたへ

クロスワードのことばあそびです。穴うめするひらがながわからないようでしたら、絵の近くにあるひらがなをヒントにするよう、声をかけてみちびいてあげてください。ドリルをはじめたころにくらべ、お子さまのなぞる力や書く力はどうでしょうか。お子さまが前よりもよくできるようになったことを見つけて、おおいにほめてあげてください。

えを　みて　ひらがなを　かきましょう。（なぞりましょう。）

すいか　す□か

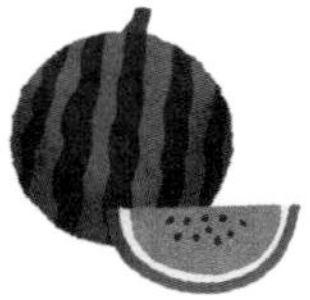

いちご　□ちご

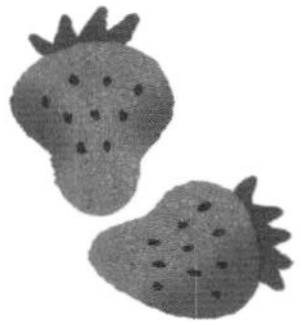

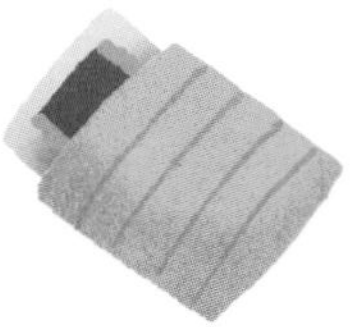

ふとん　ふ□ん

とけい　□けい

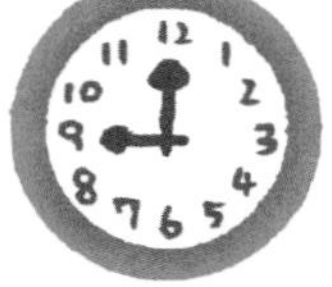

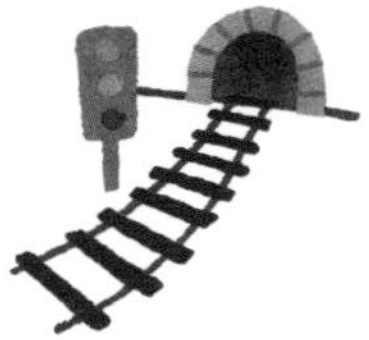

でんしゃ　で□しゃ

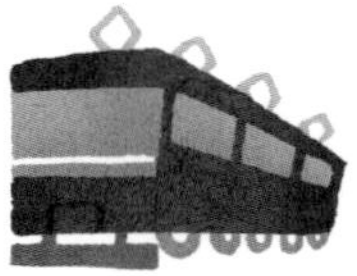

せんろ　せ□ろ

えを みて ひらがなを かきましょう。（なぞりましょう。）

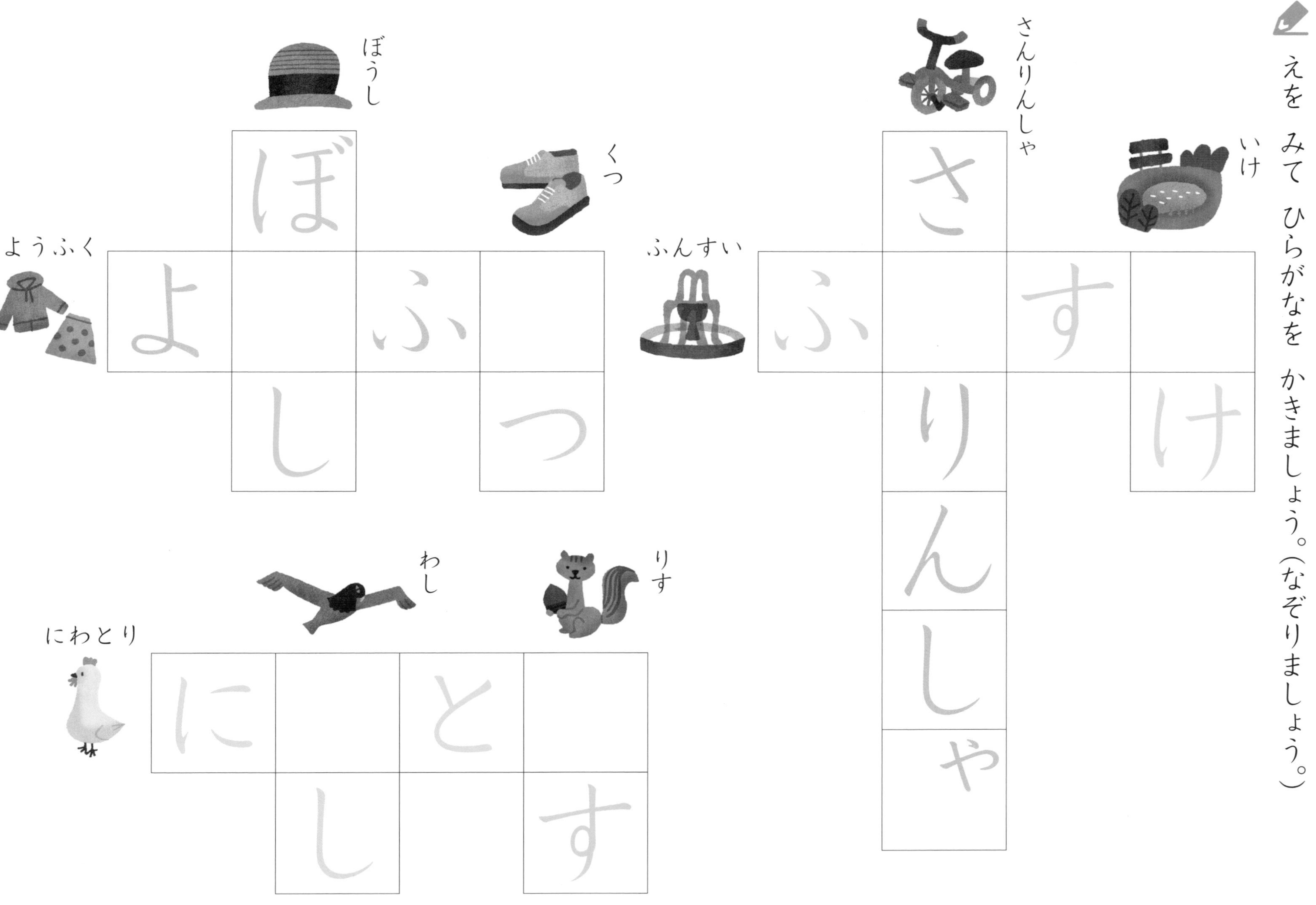

39 まとめ

がつ　にち　なまえ

おうちのかたへ
最後にすべての清音、濁音、半濁音を書いて、表を作ります。書きおわったら、巻末の表彰状に名前と日付を書いて、お子さまに渡してあげてください。このページといっしょに、かべにはってもよいでしょう。1冊を最後までやりとげることができたという達成感を、これからのお子さまの自信と成長につなげましょう。

ひらがなを　かいて（なぞって）、ひょうを　つくりましょう。

あ	い	う	え	お
か	き	く	け	こ
さ	し	す	せ	そ
た	ち	つ	て	と
な	に	ぬ	ね	の
は	ひ	ふ	へ	ほ
ま	み	む	め	も

ひらがなを　かいて（なぞって）、ひょうを　つくりましょう。

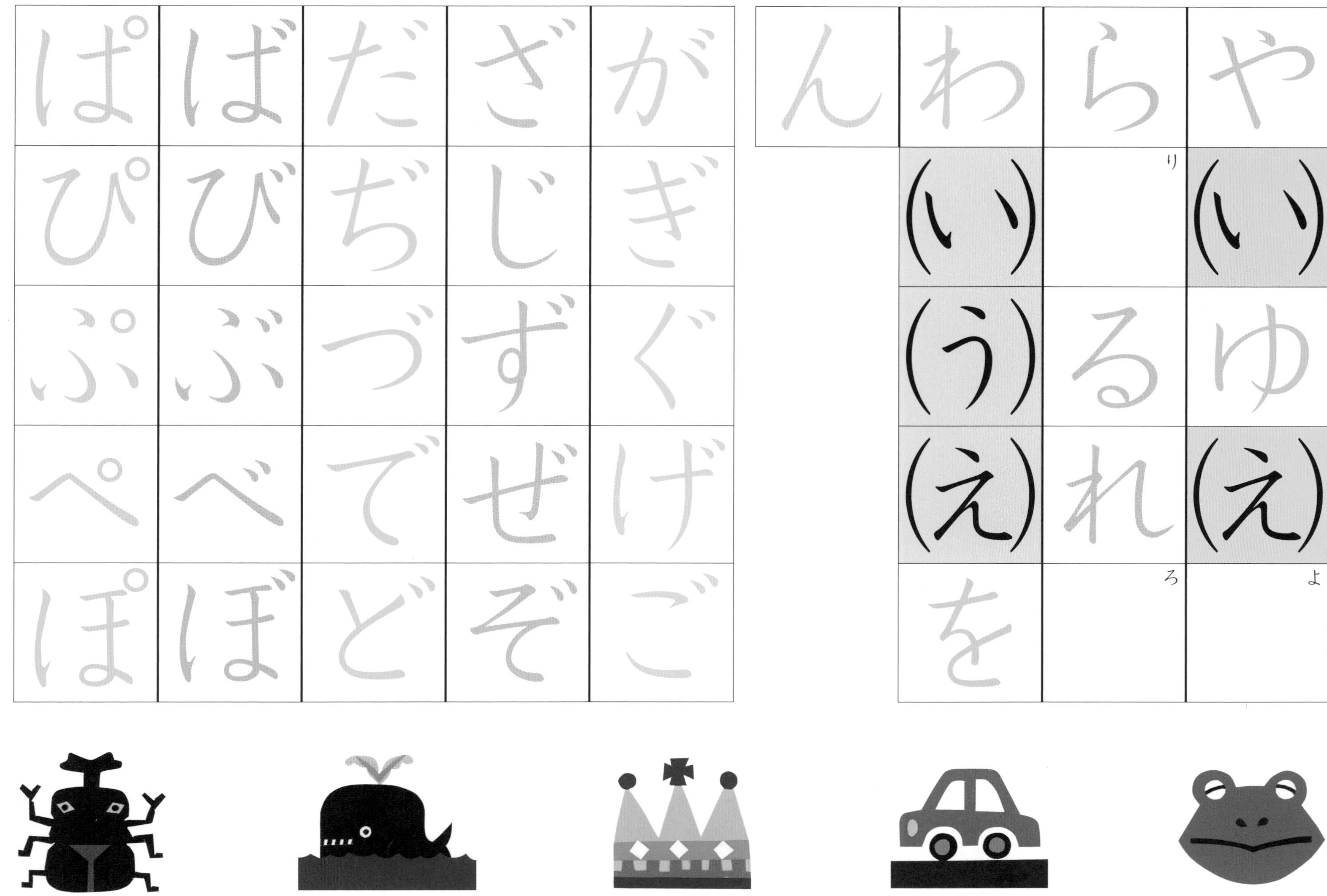